A+ Chinese
汉语 A+ 上 Ⅱ

GCSE Revision Book

Carol Chen 陈琦

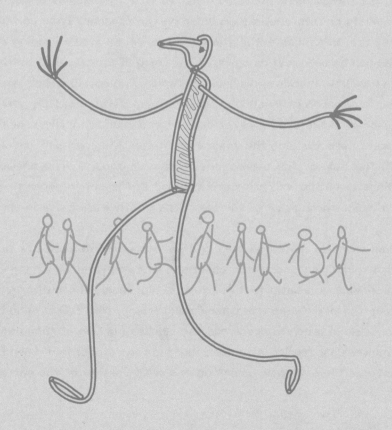

北京语言大学出版社
BEIJING LANGUAGE AND CULTURE
UNIVERSITY PRESS

PREFACE

A⁺ Chinese is a two volume set designed for Chinese learners in secondary schools. Its target readers are candidates of GCSE/ IGCSE, IB, SAT and Australian Mandarin Exams who have approximately two years of Chinese learning experience and a mastery of about 400~500 Chinese words.

The set includes two volumes with 27 lessons in all. The lessons explore topics from various aspects of daily life such as clothing, food, housing and transportation. The essential vocabulary has been chosen based on the basic and most commonly used words in a variety of official exams. In addition, the author has included topics involving school life, youth culture, traditional Chinese culture as well as the latest trends in order to generate interest from students and increase their understanding of Chinese culture.

All the exercises are designed to improve the four language skills: listening, speaking, reading and writing to ensure a balanced development. In addition, the author has taken note of the requirements of GCSE/ IGCSE, IB, SAT, Australian Mandarin Exams in order to provide the most suitable and relevant material for examination preparation.

Students can use the available vocabulary list to test themselves and check their answers using the answer booklets or with answers provided by the teacher. They can then review those words with which they are unfamiliar. All of the exercises found in the reading comprehension sections of each volume can be used just as easily in the form of a classroom textbook as if it were a self-study tool. The diverse exercises available in the writing sections help students develop and test their writing skills at different levels of study. In the classroom setting, the oral tasks and listening tasks can be used as the alternatives for or used in conjunction with reading and writing activities. When the students are studying the volumes at home, they can self-check their answers to most exercises with the help of the corresponding answer booklet. The answer booklet, along with a CD of recordings of all the exercises are included in the set in order to provide students with a comprehensive guide through all of the exercises whether they are in the classroom or studying on their own.

The author has received generous help and encouragement from her husband Jinghzhi Zhang. The author also specifically thanks her children Tianli and Amanda Zhang who provided fascinating stories that contributed greatly to this project. Moreover, the author would like to express her appreciation for the assistance from her family friend, Mr. E.G.D. Thomas, who took time out of his busy schedule in order to proofread the English portion of these books. Finally, the author would like to express her gratitude to her colleagues and students at Island School and West Island School who offered their valuable advice on the draft version of the set and enabled its constant improvement.

Carol Chen
Hong Kong
January 2008

　　《汉语A+》是中学汉语教材，适用于学过两年汉语，掌握了400-500词，准备参加GCSE/IGCSE、IB、SAT和Australian Mandarin Exams等汉语考试的学生。

　　本书分为上、下两册，按话题分为27课。这些话题涵盖了衣、食、住、行等生活和学习的各个方面。在每一课中，作者都将该话题中相关的词汇罗列出来，这些词语是从多种考试官方词汇表中挑选出来的最基本、最常用的词汇。另外，在各种练习中还加入了校园生活、最新时尚、青少年的各种课外活动以及中国传统文化等元素，可增加学生学习汉语的兴趣，加深学生对中国文化的了解。

　　书中的练习都是按照听、说、读、写编排的，旨在使学生的汉语水平得到平衡的发展。同时，在编写练习的过程中，参考了GCSE/IGCSE、IB、SAT、Australian Mandarin Exams等多种考试要求及题型，为学生提供最丰富的备考资料，熟练地掌握各种题型，提升考试技巧。

　　学生可使用常用字词表，进行自我测验，对照答案进行自我批改或教师统一给答案，学生可有针对性地练习不熟悉的生词。阅读理解部分也可作为精读教材，在课堂上使用。写作部分有各种题型，教师可根据学生水平，对学生进行写作训练。在课堂上，口语和听力可根据教师的需要，穿插在阅读和写作之间进行。在学生自学时，可根据答案进行自我检测。此外，随书附赠参考答案册以及所有听力练习的录音CD。

　　在本书的编写过程中，我得到了西岛学校和港岛学校很多老师的帮助和鼓励，他们都是作者长期的良师益友。其次，我还要向我们全家的朋友Thomas先生表示感谢，他在百忙中仔细审阅了全部书稿中的英文部分，更正了其中的错误和遗漏。另外，我还要感谢我的先生张景智的支持和鼓励；感谢我的儿子张天力、女儿张曼彤，他们在本书的编写过程中提供了很多精彩的素材。最后，我要感谢我在香港西岛学校和港岛学校的学生。这些可爱的小朋友们在做练习时，也发现了书稿中的一些错误，使作者有机会在本书出版前将错误改正。

陈　琦

2008年1月于香港

CONTENTS 目录

第一部分 个人、家和日常生活
Self, Family, Home and Everyday Life

第二部分 学校生活和未来规划
School Life and Future Plan

第三部分 购物、饮食和健康
Shopping, Food and Health

个人、家和日常生活
Self, Family, Home and Everyday Life

 **第一课 个人 Self**

 常用字词
Useful Words

1. 介绍   jièshào
2. 自己   zìjǐ
3. 个人   gèrén
4. 名字   míngzi
5. 姓名   xìngmíng
6. 年级   niánjí
7. 性别   xìngbié
8. 男/女   nán/nǚ
9. 生日/出生日期
    shēngrì/chūshēng rìqī
10. 年/月/日/星期
    nián/yuè/rì/xīngqī
11. 岁   suì
12. 出生地   chūshēng dì
13. 世界   shìjiè
14. 亚洲   Yàzhōu
15. 非洲   Fēizhōu
16. 美洲   Měizhōu
17. 欧洲   Ōuzhōu
18. 大洋洲   Dàyángzhōu
19. 南极洲   Nánjízhōu
20. 国籍   guójí
21. 国家   guójiā
22. 中国   Zhōngguó
23. 北京   Běijīng

26. 上海   Shànghǎi
25. 广州   Guǎngzhōu
26. 台湾   Táiwān
27. 香港   Xiānggǎng
28. 新加坡   Xīnjiāpō
29. 马来西亚   Mǎláixīyà
30. 日本   Rìběn
31. 印度   Yìndù
32. 韩国   Hánguó
33. 法国   Fǎguó
34. 德国   Déguó
35. 英国   Yīngguó
36. 加拿大   Jiānádà
37. 美国   Měiguó
38. 新西兰   Xīnxīlán
39. 澳大利亚   Àodàlìyà
40. 南非   Nánfēi
41. 地方   dìfang
42. 住   zhù
43. 住址/地址   zhùzhǐ/dìzhǐ
44. 城市   chéngshì
45. 区   qū
46. 街   jiē
47. 说   shuō
48. 语言   yǔyán

49. 汉语 Hànyǔ	59. 去 qù
50. 英语 Yīngyǔ	60. 回 huí
51. 法语 Fǎyǔ	61. 到 dào
52. 德语 Déyǔ	62. 生活 shēnghuó
53. 日语 Rìyǔ	63. 长大 zhǎngdà
54. 西班牙语 Xībānyáyǔ	64. 谁 shuí/shéi
55. 电话号码 diànhuà hàomǎ	65. 谁的 shuíde/shéide
56. 电子邮件（电邮）	66. 什么 shénme
diànzǐ yóujiàn	67. 哪 nǎ
57. 电子邮箱	68. 哪儿/哪里 nǎr/nǎli
diànzǐ yóuxiāng	69. 怎么 zěnme
58. 来 lái	70. 怎么样 zěnmeyàng

Reading Comprehension

一、根据你自己的情况填写下面的表格

Fill in the form about yourself in Chinese

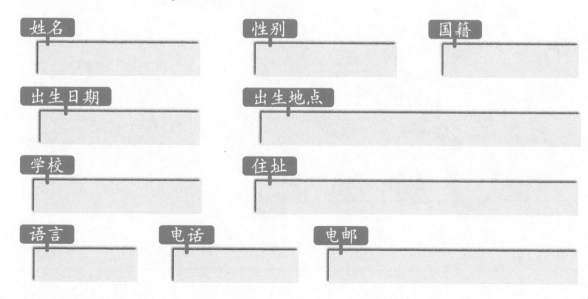

姓名

性别

国籍

出生日期

出生地点

学校

住址

语言

电话

电邮

二、判断正误 True or false

　　在美国亚特兰大（Atlanta）出生的小熊猫，星期五已经一百天大了，被起名为"美兰"（Mei Lan），意思是亚特兰大的美人，这个名字是由亚特兰大几千名居民和全世界五万多网民选出的。在这些人中，有百分之二十二的人喜欢"美兰"这个名字。第二名的"小桃"（Little Peach）得到百分之十九的选票，而"美桃"（Beautiful Peach）排第三。其他名字还包括"长江"（Yangtze River），说明熊猫从中国来。

1 在亚特兰大出生的小熊猫已经三个多月了。 ☐
2 "美兰"的意思是美丽的亚特兰大。 ☐
3 小熊猫的名字是由当地的居民选出的。 ☐
4 一大半的人喜欢"小桃"这个名字。 ☐
5 "长江"这个名字表明小熊猫是从长江来的。 ☐

NOTES

千	qiān	thousand
居民	jūmín	resident
网民	wǎngmín	internet users
选票	xuǎnpiào	vote
包括	bāokuò	to include

三、回答问题 Answer the questions in Chinese

中国是世界上最早使用姓的国家，五千年前，子女就开始跟父亲姓了。中国现在一共有四千多个姓，比以前少了两万多个。王、李、张、刘、陈是最常见的姓。但是也有一些很少见的姓，如：一、十、百、千、万，或东、南、西、北等。

中国人的姓名，有三个字的，比如：温家宝；也有两个字的，比如姚明。从名字上可以看到父母对子女的希望，男人的名字大多用"山""康"等字，意思是高大、有力。女人用的名字，如"红""雪""月"，大多和"美丽"有关。但是，有的时候，从名字上是不能看出性别的。

NOTES

少见　shǎojiàn　uncommon
希望　xīwàng　wish
意思　yìsi　meaning

1. 中国以前大约有多少个姓？

2. 五千年前，子女开始跟父母亲中哪个人的姓？

3. 最常见的四个姓是什么？

4. 男人和女人的名字有什么不同？

5. 给你自己起一个中国名字，说一说为什么叫这个名字。

四、多项选择　Multiple choice

　　我叫克努特 (Knut)，是一只小北极熊，住在德国柏林（Berlin）动物园。我在 2006 年 12 月 5 日出生。妈妈生下我和哥哥后，就不要我们了，我的哥哥在出生后第四天就死了。有人说没有妈妈的爱，我也活不下去。但是，动物园的一位好心人养活了我。现在我已经半岁了。虽然没有了家人，可是我却得到了更多的爱，每天有很多小朋友来看我，我还被选为柏林市最重要的居民。

北极熊	běijíxióng	polar bear
死	sǐ	to die
养活	yǎnghuo	to raise
重要	zhòngyào	important

1. 克努特住在＿＿＿＿＿里。

① 北极　② 动物园　③ 树林　④ 花园

2. 到 2007 年 6 月，克努特多大？

① 一岁　② 六个月　③ 四个月　④ 一岁半

3. 克努特是由 ＿＿＿＿＿ 养大的。

① 人　② 它妈妈　③ 它哥哥　④ 北极熊

4. 有些人说克努特活不下去，因为 ＿＿＿＿＿。

① 它妈妈不养它　　② 人不会养北极熊

③ 没有人养它　　④ 它妈妈养不好它

五、配对　**Match the words in column A with the words in column B**

A	B
1. 姓名	a. dl@hotmail.com
2. 性别	b. 学生
3. 国籍	c. 香港半山区白加山道 25 号 10 座 503 号
4. 出生日期	d. 5934 3711
5. 出生地点	e. 英国伦敦
6. 身份	f. 男
7. 住址	g. 英国
8. 电话	h. 李大卫
9. 电邮	i. 1991 年 5 月 9 日

六、组句　*Reorganize the words into sentences*

1. ❶会说　❷几种　❸好　❹奶奶　❺语言

_____

2. ❶都　❷工作　❸医院　❹我　❺爸爸　❻妈妈　❼在　❽和

_____

3. ❶很多　❷地方　❸一家　❹我们　❺世界上　❻去过

_____

4. ❶下午　❷下班　❸每天　❹妈妈　❺我　❻四点

_____

七、 回答问题 **Answer the questions in English**

> 英国广播公司(BBC)最近在威尔士(Wales)举行"世界Jones大会"。参加大会的有英国人,也有从美国和澳大利亚等地来的,共有一千二百个姓Jones的人参加,打破了世界纪录。Jones在威尔士是第一大姓,但在英国排在Smith后面,为第二大姓。一百个人中就有一个姓Jones。

NOTES

广播	guǎngbō	*broadcast*
打破	dǎpò	*to break*
纪录	jìlù	*record*

1. Who attended the meeting ?

2. Where was this meeting held ?

3. How many people have attended the meeting ?

4. In rank order, what position does the name Jones come in the UK ?

八、填空 *Fill in the blanks in Chinese*

老师：请你 _____ 一下你自己。

学生：我叫卡尔，是意大利人，_____ 十三岁。我 _____ 西岛学
校上学。我上九 _____。

老师：你有 _____ 吗？

学生：我有一个妹妹和两个弟弟，我是 _____。

老师：你 _____ 出生的？

学生：我是在西班牙 _____，在南非 _____ 的。

老师：你在家说什么 _____？

学生：我在家 _____ 父母说意大利语，和弟妹们说英语。

老师：谢谢你！

学生：_____！

1. 你姓什么？你叫什么名字？

2. 你今年多大了？

3. 你是在哪儿出生的？你在哪儿长大？

4. 你在哪儿上学？你今年上几年级？

5. 你去过世界上哪些地方？

6. 你会说哪几种语言？

7. 你的母语是什么？

8. 你住在哪儿？

一、填空　Fill in the blanks in Chinese

1. 我去过世界上很多地方，我去过法国、＿＿＿＿＿＿、＿＿＿＿＿＿、
　＿＿＿＿＿＿、＿＿＿＿＿＿等。

2. 世界上有七大洲，它们是南极洲、＿＿＿＿＿＿、＿＿＿＿＿＿、
　＿＿＿＿＿＿、＿＿＿＿＿＿、＿＿＿＿＿＿和＿＿＿＿＿＿。

3. 爷爷会说五种语言：日语、＿＿＿＿＿＿、＿＿＿＿＿＿、＿＿＿＿＿＿和
　＿＿＿＿＿＿。

二、翻译　Translation

1. My name is Wang Ming.

　＿＿＿＿＿＿＿＿＿＿＿＿＿＿＿＿＿＿＿＿＿＿＿＿＿＿＿＿＿

2. I study at West Island School in Hong Kong.

　＿＿＿＿＿＿＿＿＿＿＿＿＿＿＿＿＿＿＿＿＿＿＿＿＿＿＿＿＿

3. I am in Year 10.

　＿＿＿＿＿＿＿＿＿＿＿＿＿＿＿＿＿＿＿＿＿＿＿＿＿＿＿＿＿

4. He can speak several languages.

　＿＿＿＿＿＿＿＿＿＿＿＿＿＿＿＿＿＿＿＿＿＿＿＿＿＿＿＿＿

5. I was born in Beijing, but I grew up in Shanghai.

　＿＿＿＿＿＿＿＿＿＿＿＿＿＿＿＿＿＿＿＿＿＿＿＿＿＿＿＿＿

三、给你的笔友写一封信，介绍一下你自己，包括：
Write a letter to your pen pal to introduce yourself. You should include:

你的姓名、年龄、国籍

在哪所学校上学？上几级年级？

你去过哪些国家？会说什么语言？

你的电话号码、地址和电子邮箱

其他……

四、续写 Continuous writing

我今天才知道我的网友是

一、回答问题 Answer the questions in Chinese

1. 小明是哪国人？

2. 他现在住在哪儿？

3. 他家有谁？

4. 小明的电话号码是多少？

5. 小明在哪儿上学？

二、回答问题 Answer the questions in English

1. Whom was this notice written for?

2. Who wrote this notice?

3. What documents were mentioned in this notice?

4. When is the deadline to provide all the information to the school?

第二课　家庭　Family

常用字词
Useful Words

1. 父母亲	fùmǔqīn	25. 丈夫	zhàngfu
2. 爸爸	bàba	26. 先生	xiānsheng
3. 父亲	fùqīn	27. 妻子	qīzi
4. 妈妈	māma	28. 太太	tàitai
5. 母亲	mǔqīn	29. 儿子	érzi
6. 哥哥	gēge	30. 女儿	nǚér
7. 弟弟	dìdi	31. 孙子	sūnzi
8. 姐姐	jiějie	32. 孙女	sūnnǚ
9. 妹妹	mèimei	33. 小姐	xiǎojiě
10. 兄弟姐妹	xiōngdì jiěmèi	34. 女士	nǚshì
11. 兄妹	xiōngmèi	35. 大学生	dàxuéshēng
12. 姐弟	jiědì	36. 中学生	zhōngxuéshēng
13. 家庭成员		37. 小学生	xiǎoxuéshēng
	jiātíng chéngyuán	38. 上学	shàngxué
14. 家人	jiārén	39. 工作	gōngzuò
15. 爷爷	yéye	40. 上班	shàngbān
16. 祖父	zǔfù	41. 结婚	jiéhūn
17. 奶奶	nǎinai	42. 离婚	líhūn
18. 祖母	zǔmǔ	43. 每天	měi tiān
19. 外公	wàigōng	44. 周末	zhōumò
20. 姥爷	lǎoye	45. 请问	qǐngwèn
21. 外婆	wàipó	46. 谢谢	xièxie
22. 姥姥	lǎolao	47. 不客气	búkèqi
23. 叔叔	shūshu	48. 对不起	duìbuqǐ
24. 阿姨	āyí	49. 没关系	méi guānxi

一、 回答问题　**Answer the questions in Chinese**

我们一家有三口人。我的爸爸今年六十岁了，他比我妈妈大二十岁。他是作家，他在家里工作。我的妈妈工作很忙，她总是很晚才下班。我爸爸开车送我上学、送妈妈上班。他还为我们做晚饭，他很爱我们。他经常说他有两个女儿，妈妈是他的大女儿。

NOTES

作家	zuòjiā	writer
下班	xiàbān	to get off work
开车	kāichē	to drive (a vehicle)
上班	shàngbān	to go to work
做晚饭	zuò wǎnfàn	to cook dinner

? 1. 妈妈今年多大了？

_____

? 2. 妈妈为什么每天很晚才回家？

_____

? 3. 爸爸在哪儿工作？

_____

? 4. 爸爸每天为我们做哪些事情？

_____

二、 多项选择 *Multiple choice*

我有一个弟弟，我比他大五分钟，因为我们是双胞胎。妈妈总是对我说，我是哥哥，所以我要让着弟弟，可是我只比他大几分钟，为什么总是要让着他？

我妈妈也经常对我的弟弟说，"长兄如父"，所以他要听我的话，但他经常不听我的话。我们长得很像，老师、同学总是叫错我们的名字。从小到大，妈妈总是喜欢给我们买一样的衣服、一样的书包。我们走在街上，总是有很多人看我们，好像我们是两只小动物。

NOTES

双胞胎	shuāngbāotāi	twins
让	ràng	to make a concession (to)
如	rú	to be like (or similar to)

1.作者比弟弟大＿＿＿＿＿＿。

　❶ 很多　　　　❷ 不少　　　　❸ 多了　　　　❹ 一点儿

2.作者和弟弟是＿＿＿＿＿双胞胎。

　❶ 一对　　　　❷ 一个　　　　❸ 一只　　　　❹ 两个

3."长兄如父"意思是＿＿＿＿＿就像爸爸一样。

　❶ 兄弟姐妹　　❷ 小弟　　　　❸ 弟弟　　　　❹ 大哥

4.作者和弟弟长得和＿＿＿＿＿都一样。

　❶ 玩儿的东西　❷ 穿的衣服　　❸ 喜欢的人　　❹ 做的事情

三、回答问题　Answer the questions in English

我叫马克，我是一半德国人、一半日本人，今年十四岁。我们现在住在南非。从小到大，因为爸爸的工作，我们已经在很多个国家住过了：新加坡、印度、加拿大等。我的朋友都希望能像我一样，能去世界上很多不同的地方，能见到世界上不同的人，可是我不喜欢。我没有老朋友，过节时总是我们一家三口人，家好像是一个酒店，没有家的温暖。

NOTES

过节	guòjié	to celebrate a festival
酒店	jiǔdiàn	hotel
温暖	wēnnuǎn	*warmth*

1. Is Mark German ?

2. Why did Mark's family move a lot ?

3. What are the advantages of having lived in many different countries ?

4. What are the disadvantages ?

四、配对 **Match the words on the left to the definitions on the right**

　　我们一家有四口人：爸爸、妈妈、妹妹和我。妹妹比我小两岁，我觉得妈妈、爸爸只喜欢她，她什么事情都不用做，而我就要做很多事情。我有时故意小看她，她做错事，我会笑她。但在心里，我觉得她是个好妹妹。每次上学的时候，她喜欢跟着我，还喜欢向她的朋友介绍我。我不喜欢和她在一起，因为这两年，妹妹长得越来越高，她现在比我还高一点儿，经常有人以为她是我姐姐。

NOTES

做错事　zuòcuò shì
　　　　to do something wrong
跟着　gēnzhe　to follow
越来越　yuè lái yuè　more and more

A

1. 故意
2. 小看
3. 做错事
4. 介绍

B

a. 看不起
b. 有心做一件事
c. 让双方认识
d. 好事
e. 事情没有做对
f. 小事

五、填空　Fill in the blanks with the words in the box

　　我出生在六十年代的上海，我的家是一个老式的家庭，我有一个姐姐。我出生后，妈妈哭了很长时间，＿＿＿＿她和爸爸都想要男孩儿，可是我又是一个女的。爸爸要把我送人，＿＿＿＿妈妈不让。他们给我起了一个名字叫"来娣"，希望下一个是弟弟。＿＿＿＿，过了两年，弟弟出生了。因为家里人多，没有钱，＿＿＿＿爸爸和妈妈都工作。姐姐和我把弟弟带大。＿＿＿＿我没有大姐漂亮，＿＿＿＿没有小弟可爱，但是我学习好，考试总得第一。因为我很想得到爸爸、妈妈的爱。

NOTES		
老式	lǎoshì	old-fashioned
哭	kū	to cry
漂亮	piàoliang	beautiful
考试	kǎoshì	examination

❶虽然　　❷果然　　❸但是　　❹又　　❺因为　　❻所以

六、回答问题　Answer the questions in English

　　十五岁的时候，我去加拿大上高中。我每天都想家。爸爸、妈妈很疼我，给我很多零用钱；可是我最想的是他们来看我，或者给我打电话。十七岁的圣诞节，爸爸、妈妈突然来加拿大看我，我们一家三口去中国城吃饭。然后，爸爸、妈妈告诉我，他们已经离婚了。我大哭了起来。二十多天的圣诞节假期，我每天都在哭，我一生都不会忘记那年的圣诞。长大后，我明白了，父母已经为我做了很多，不管他们在一起，还是不在一起，我们都是一家人。

NOTES		
高中	gāozhōng	senior high school
疼	téng	to love dearly
零用钱	língyòng qián	pocket money
忘记	wàngjì	to forget
不管	bùguǎn	no matter

1. What did the author do in Canada when she was 15 ?

2. What did she desperately want everyday ?

3. What happened during the Christmas holidays when she was 17 ?

4. What does she realize when she grows up ?

口语
Oral

1. 你今年多大？上几年级？
2. 你家有几口人？他们是谁？
3. 你有几个兄弟姐妹？
4. 你有爷爷、奶奶吗？他们现在住在哪儿？
5. 周末你们一家人经常做什么？
6. 你觉得你们家怎么样？
7. 你们在一起的时候开心吗？为什么？
8. 你爱你的父母吗？
9. 你为爸爸、妈妈做过什么？

一、填空　Fill in the blanks in Chinese

我们家有六口人：爸爸、＿＿＿＿＿、＿＿＿＿＿、＿＿＿＿＿、
＿＿＿＿＿和我。

二、翻译　Translation

1. There are 5 people in my family.

2. My grandma lives with us.

3. My sister is 2 years older than me.

4. We are a happy family.

5. Mum goes to work everyday.

三、造句　Make sentences

1. 五口人

2. 爱

_____

3. 兄弟姐妹

_____

4. 今年

_____

四、写一篇作文《我的一家》，包括：

Write an essay about your family. You should include:

你们一家
有几口人？
他们是谁？

你的父母亲
工作吗？

周末你喜欢
和家人做些
什么？

你们在一起的
时候开心吗？

其他……

五、读一读，写一写　Read the following text and state your own opinion

在日本的老电影里，爸爸总是一个老古板，不说不笑，很少在家，从早到晚工作。现在，这样的爸爸已经不流行了。大家喜欢的爸爸是大卫·贝克汉姆（David Beckham）那样的新好男人，他们不仅工作努力，而且还喜欢家庭生活。大卫·贝克汉姆帮太太拿手袋或带儿子去游乐场的照片最受人们的欢迎。许多日本的男人杂志经常有怎样当一个好爸爸的文章，杂志不仅教爸爸买什么样的衣服最时髦，还教他们怎么样同子女一起玩儿。

写一写你觉得什么样的爸爸是好爸爸。

六、续写　Continuous writing

妈妈又生了一个小弟弟，我们家现在有

一、回答问题　Answer the questions in Chinese

1. 作者一家有几口人?

2. 作者和父母讲什么语言?

3. 作者是在哪儿长大的?

4. 作者很想做什么?

二、填空　Fill in the blanks in Chinese

独生女　dúshēngnǚ
only daughter

学生1: ＿＿＿＿＿＿＿＿＿＿＿＿＿＿＿＿＿?

学生2: 我家有＿＿＿＿＿＿, 我是独生女。

学生1: 没有兄弟姐妹多好呀!＿＿＿＿＿＿＿＿＿＿。

学生2: 我希望有一个姐姐, 她＿＿＿＿＿＿＿＿＿。
你呢?

学生1: 我有三个姐姐。虽然家里很热闹, 但＿＿＿＿

＿＿＿＿＿＿＿＿＿＿＿＿。

学生2: ＿＿＿＿＿＿＿＿＿＿, 真是没有意思。

第三课　住所　Home

1. 住所　zhùsuǒ
2. 楼房　lóufáng
3. 房子　fángzi
4. 层/楼　céng/lóu
5. 墙　qiáng
6. 窗户　chuānghu
7. 睡房/卧室
　　shuìfáng/wòshì
8. 洗手间/厕所
　　xǐshǒujiān/cèsuǒ
9. 浴室　yùshì
10. 客厅　kètīng
11. 餐厅　cāntīng
12. 书房　shūfáng
13. 车库　chēkù
14. 阳台　yángtái
15. 花园　huāyuán
16. 电梯　diàntī
17. 家具　jiājù
18. 衣柜　yī guì
19. 床头柜　chuángtóuguì
20. 单人床　dān rén chuáng
21. 双人床
　　shuāng rén chuáng
22. 书柜　shūguì
23. 书架　shūjià

24. 书桌　shūzhuō
25. 鞋柜　xié guì
26. 碗柜　wǎn guì
27. 饭桌　fànzhuō
28. 桌子　zhuōzi
29. 椅子　yǐzi
30. 沙发　shāfā
31. 茶几　chájī
32. 电器　diànqì
33. 暖气　nuǎnqì
34. 冷气/空调
　　lěngqì/kōngtiáo
35. 电视机　diànshìjī
36. 电冰箱　diànbīngxiāng
37. 洗衣机　xǐyījī
38. 吸尘器　xīchénqì
39. 烤箱　kǎoxiāng
40. 炉子　lúzi
41. 台灯　táidēng
42. 传真机　chuánzhēnjī
43. 电扇　diànshàn
44. 电脑/计算机
　　diànnǎo/jìsuànjī
45. 摄像机　shèxiàngjī
46. 录像机　lùxiàngjī
47. 录音机　lùyīnjī

68. 照相机　zhàoxiàngjī
69. 方向　fāngxiàng
50. 前边/前面
　　qiánbian/qiánmiàn
51. 后边/后面
　　hòubian/hòumiàn
52. 左边/左面
　　zuǒbian/zuǒmiàn
53. 右边/右面
　　yòubian/yòumiàn
54. 上边/上面
　　shàngbian/shàngmiàn
55. 下边/下面
　　xiàbian/xiàmiàn
56. 中间　zhōngjiān
57. 对面　duìmiàn

阅读理解
Reading Comprehension

一、回答问题　Answer the questions in Chinese

NOTES

贵　guì　expensive
景色　jǐngsè　view
邻居　línjū　neighbor
钓鱼　diào yú　to go fishing
刮台风　guā táifēng · to have typhoon

　　因为现在房子很贵，而且我们全家都喜欢大海，所以我们一家四口住在船上。我们有一个客厅、一个饭厅和三个卧室，还有两个厕所和一个厨房。房间很大，也很舒服。船上可以看电视，也可以上网，和普通的房子一样。夏天的时候，我们在室外吃晚饭，蓝色的大海，金色的太阳，景色非常美丽。周末的时候，我们开着船去其他的地方玩儿。我们有很多海上邻居，我们经常一起游泳和钓鱼。不过，刮台风的时候，不能住在里面，我们会搬去酒店住一两天。

1. 为什么作者一家住在船上？

_____

2. 作者一家有几间睡房？

_____

3. 作者一般同他们的邻居做些什么活动？

_____

4. 什么时候不可以住在船屋里？

_____

二、填空　**Fill in the blanks in Chinese according to the picture given**

我的房间不大，四四方方。墙是白色的，家具也是白色的。一进门，_____是一张单人床，_____有一个衣柜；房间的_____是一张大书桌和椅子。书桌_____有电脑和台灯。门的_____是一个大书架，放满了书。墙上有很多海报和明星的照

片。从书桌前的窗户看出去，可以看到一个很大的公共篮球场和许多打球的青年人。我每次坐在桌前做作业的时候，看到那些打球的人，真想出去和他们一起玩儿。

NOTES

满	mǎn	full of
海报	hǎibào	poster
明星	míngxīng	star
照片	zhàopiàn	photo

❶后面　❷右边　❸上边　❹对面　❺左边

三、回答问题 Answer the questions in Chinese

广告一

百花城二座高层山景套房，八十平米，两房一厅，家具、电器齐全。有阳台，楼前有花园。租金每月一万元。电话57882233，欢迎来电。

广告二

半山区洋房，六房两厅，带花园和车库。楼龄三年。卖价二千五百万，欢迎参观。电话71315699。

广告三

本人是大学生，和两个同学在北京大学附近合租一个三室一厅的套房。现因一同学搬走，需另找一租客，租金为一千元。电话66559785。有兴趣者，请来电。

NOTES

广告	guǎnggào	advertisement
座	zuò	block
租金	zūjīn	rent
卖价	màijià	selling price
租客	zūkè	tenant
兴趣	xìngqù	interest

? 1. 上面三个广告，哪个广告是卖房广告？

_____

? 2. 如果你刚刚结婚，没有多少钱，你可能会对哪一个广告感兴趣？

_____

3. 你是海外留学生，你觉得哪个广告适合你？

4. 广告一和广告二都提到了花园，这两个花园一样吗？

四、填空　Fill in the blanks with the words in the box

商务　shāngwù　business

花园酒店王经理：

　　您好！

　　我打算5月5日到8日_____你们酒店。我想订你们的海景商务_____，包括一个客厅、一个卧室、两个厕所和一张双人床，并需要在客厅内_____。请告诉我房价_____，有没有免费早餐。我的联系电话是48988787，我的_____是49876543。谢谢！

免费　miǎnfèi
free of charge

张爱童

4月6日

❶ 传真　❷ 多少　❸ 入住　❹ 套房　❺ 上网

五、判断正误 True or false

林太太半年前买的彩票，中了两千五百万元的大奖。她没有像其他人一样，买一个大屋或住进星级酒店，而是把钱存进银行。她花了七十万元买了一个五星级的旅行车，这个车有客厅、睡房、厕所和厨房。因为她觉得旅行车可以四处走，也有家的感觉。她每个星期在车上住三天，其他的日子她还住在老房子里。

▶ 1 林太太得到了 2 500 000 元的奖金。 ☐

▶ 2 她中奖后像其他人一样买了一辆车。 ☐

▶ 3 这辆旅行车和普通的家差不多。 ☐

▶ 4 她一周大部分时间还是住在老房子里。 ☐

NOTES

彩票 cǎipiào **lottery ticket**
奖 jiǎng **prize**
银行 yínháng **bank**
旅行车 lǚxíngchē **station wagon**

六、回答问题 Answer the questions in English

厨房是我的最爱，一进厨房，就可以看见右边的小饭桌和冰箱，冰箱上贴满了电话号码和相片。对面是一排柜子和一个洗手盆。厨房的左边有一个炉子。二十年前，每天回家后，妈妈总是一边忙着做饭，一边和我谈天。我六岁的时候，在那里告诉妈妈，我长大要当小学老师；我十五岁的时候，在那里告诉妈妈，我要当一个作家。妈妈总是说我能做到。厨房虽小，可是有我很多童年的回忆。

NOTES

谈天 tántiān **chit-chat**
童年 tóngnián **childhood**
回忆 huíyì **memory**

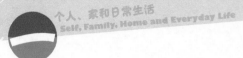

1. What can be seen in the kitchen on the right?

2. What are on the door of the refrigerator?

3. What did the author usually do after she got home?

4. What did the author tell her mother in the kitchen when she was 15?

5. What did her mother say?

七、回答问题　Answer the questions in Chinese

　　"麦当劳叔叔之家"离医院很近，走路只要四分钟。它是住院的病童和家人的一个"家"。里面有二十间睡房，每间房内有空调和浴室，可住四个人；另外还有公用厨房、洗衣房、书房、游戏室和花园。当病童住院时，他们的家人可以住在这里，方便去医院看望病童，也可以和其他病童的家人互相打气。"麦当劳叔叔之家"是病童的爱心家园。

NOTES

麦当劳	Màidāngláo	McDonald's
病童	bìng tóng	sick child
方便	fāngbiàn	convenient
互相	hùxiāng	each other
打气	dǎqì	to cheer up; to encourage

1. "麦当劳叔叔之家"离医院远吗?

2. 什么人可以入住"麦当劳叔叔之家"?

3. 除了睡房,那里还有哪些房间?

4. 里面最多可以住多少人?

口语 Oral

1. 你家住什么样的房子?

2. 你家有多少个房间?

3. 你家有阳台吗?

4. 你有自己的睡房/卧室吗?

5. 你的睡房里有哪些家具?

6. 你的睡房里有哪些电器?

Writing

一、填空 Fill in the blanks in Chinese

1. 我家客厅里的家具都是白色的，有茶几、＿＿＿＿＿＿、＿＿＿＿＿＿、＿＿＿＿＿＿和＿＿＿＿＿＿。

2. 大卫刚刚结婚，他把他的钱都花在买家用电器上了。他买了吸尘器、＿＿＿＿＿＿、＿＿＿＿＿＿、＿＿＿＿＿＿和＿＿＿＿＿＿。

3. 我们不知道弟弟去哪里了，我们在学校的前边、＿＿＿＿＿、＿＿＿＿＿、＿＿＿＿＿到处找他，就是找不到。

二、翻译 Translation

1. My house is small.

＿＿＿＿＿＿＿＿＿＿＿＿＿＿＿＿＿＿＿＿＿＿＿＿＿＿

2. There are three bedrooms in my house.

＿＿＿＿＿＿＿＿＿＿＿＿＿＿＿＿＿＿＿＿＿＿＿＿＿＿

3. The TV is in the sitting room.

＿＿＿＿＿＿＿＿＿＿＿＿＿＿＿＿＿＿＿＿＿＿＿＿＿＿

4. There is a computer on my desk.

＿＿＿＿＿＿＿＿＿＿＿＿＿＿＿＿＿＿＿＿＿＿＿＿＿＿

5. I share the room with my younger brother.

＿＿＿＿＿＿＿＿＿＿＿＿＿＿＿＿＿＿＿＿＿＿＿＿＿＿

三、写一写你的房间，包括：
Describe your own room. You should include:

你有没有自己的房间？

你的房间里有什么家具和电器？

你喜欢你的房间吗？为什么？

四、续写　**Continuous writing**

今天，我有了一个机器人打扫我的房间

听力 Listening

一、 根据录音，画出客厅的家具
Listen to the recording and draw the furniture in the sitting room

二、 多项选择 *Multiple choice*

1. 李先生想_____。

   ❶ 出租房子　　❷ 租房子　　❸ 买房子　　❹ 卖房子

2. 王太太的房子有_____。

   ❶ 一间睡房　　❷ 两间睡房　　❸ 三间睡房　　❹ 没有睡房

3. 房租是_____。

   ❶ 305元　　❷ 3 005元　　❸ 3 500元　　❹ 350元

4. 看房的时间是_____。

   ❶ 周末上午　　❷ 周末下午　　❸ 周末全天　　❹ 周末半天

第四课 居住环境
Neighborhood and Region

Useful Words 常用安词

1. 郊区 jiāoqū
2. 市中心 shì zhōngxīn
3. 社区 shèqū
4. 广场 guǎngchǎng
5. 青少年活动中心 qīngshàonián huódòng zhōngxīn
6. 游乐场 yóulè chǎng
7. 网吧 wǎngbā
8. 电影院 diànyǐngyuàn
9. 剧院 jùyuàn
10. 便利店 biànlìdiàn
11. 超市 chāoshì
12. 文具店 wénjù diàn
13. 玩具店 wánjù diàn
14. 药房 yàofáng
15. 花店 huā diàn
16. 书店 shū diàn
17. 洗衣店 xǐyī diàn
18. 理发店 lǐfà diàn
19. 面包店 miànbāo diàn
20. 电器店 diànqì diàn
21. 音像店 yīnxiàng diàn
22. 邮局 yóujú
23. 银行 yínháng

24. 警察局/公安局 jǐngchájú/gōng'ānjú
25. 体育用品商店 tǐyù yòngpǐn shāngdiàn
26. 宠物店 chǒngwù diàn
27. 咖啡馆 kāfēi guǎn
28. 茶馆 cháguǎn
29. 饭店 fàndiàn
30. 礼品店 lǐpǐn diàn
31. 街心公园 jiēxīn gōngyuán
32. 市政厅 shìzhèng tīng
33. 博物馆 bówùguǎn
34. 教堂 jiàotáng
35. 诊所 zhěnsuǒ
36. 东 dōng
37. 南 nán
38. 西 xī
39. 北 běi
40. 旁边 pángbiān
41. 隔壁 gébì
42. 附近 fùjìn
43. 往回走 wǎng huí zǒu
44. 一直走 yìzhí zǒu
45. 往前走 wǎng qián zǒu
46. 转 zhuǎn/zhuàn

一、配对　Match the list of places from column B with the tasks in column A

 A

 B

A	B
1. 丢了钱包	a. 邮局
2. 存钱或取钱	b. 音像店
3. 寄信、包裹	c. 体育用品商店
4. 买生日蛋糕	d. 剧院
5. 租光碟、录像带	e. 文具店
6. 买碗、筷	f. 银行
7. 买桌椅	g. 电器店
8. 买文具盒	h. 体育馆
9. 买乒乓球拍	i. 快餐店
10. 买吸尘器	j. 玩具店
11. 剪发、洗发	k. 警察局
12. 买布娃娃	l. 家具店
13. 看歌舞剧	m. 药店
14. 看排球比赛	n. 面包店
15. 买汉堡包	o. 理发店
16. 买止痛片	p. 家庭用品店

二、回答问题　Answer the questions in Chinese

我们家是一个三代同堂的大家庭。因为我和弟弟越来越大，我们的老房子不够住了，妈妈、爸爸打算买一套新房子。可是买什么样的房子好，每个人的想法都不同。

爷爷希望住在郊区，空气好，每天可以去山边散步；奶奶希望住在市中心，交通方便，可以经常去老年中心和朋友谈天；爸爸希望住在市中心，上、下班方便；妈妈说住在市中心才可以为我和弟弟找到好学校；我喜欢市中心，热闹，我可以经常和朋友去买东西、唱卡拉OK；弟弟想住在海边，这样他可以天天去游泳和滑水。

我们已经找了一年了，可是到现在还没有找到新房子。

NOTES

代　dài　generation
堂　táng　hall
热闹　rènao　bustling with noise and excitement
滑水　huáshuǐ　water skiing

1. 什么叫"三代同堂"？

2. 作者的父母为什么打算买新房子？

3. 家里有多少人想住市中心？

4. 住在市中心有什么好处？

5. 住在郊区有什么好处？

6. 为什么到现在作者一家还没有找到新房子？

三、填空　Fill in the blanks with the words in the box

我住在山顶一个二十层的
_____里。楼不漂亮，我
们的房子也很一般，但是我
们有_____的景色：可以
看到整个_____。

离我们家最近的是一个大
教堂。教堂_____有很多
高楼，再后面就是海港了。
晚上的时候，_____的灯
光非常迷人。但是早上有时
_____很大，什么景色也看
不见……

NOTES
顶　dǐng　peak
海港　hǎigǎng　harbor
灯光　dēngguāng　light
迷人　mírén　enchanting

❶后面　　❷城市　　❸一流　　❹五颜六色　　❺楼房　　❻雾

四、配对　Match the words on the left to the definitions on the right

　　我们刚搬家，妈妈在郊区买了一个大屋，背山面海，风景如画。因为房子大，妈妈叫外婆来住一住。外婆好开心，可是她住了一个星期就一定要走，谁的话也不听。她说虽然这儿景色好、空气新鲜，可是白天见不到几个邻居，去商店也太远，等公共汽车要半个小时一辆。她白天只能看电视或浇花儿。有时想打电话给老朋友，可是又怕电话费太贵。虽然她自己的楼房地方小，又在市中心，空气差，外面车水马龙，很吵，可是她和老邻居都认识三四十年了，几个老太太谈天、买东西，日子过得多自在啊！

NOTES

搬家	bānjiā	to move house
新鲜	xīnxiān	fresh
公共汽车	gōnggòng qìchē	bus
浇	jiāo	to water
电话费	diànhuàfèi	telephone charge
吵	chǎo	noisy

 A　　　 B

1. 自在

2. 背山面海

3. 风景如画

4. 车水马龙

a. 山水、花草、树木等很美

b. 不可以自由行动

c. 在郊区或风景区建造的有园林的住宅

d. 形容车辆很多

e. 后面是山，前面是海

f. 自由、舒服

五、填空　Fill in the blanks in Chinese according to the picture given

我家住在＿＿＿＿＿，附近有很多设施，有＿＿＿＿＿、＿＿＿＿＿、＿＿＿＿＿等。我家附近的交通也很方便，走几分钟就是＿＿＿＿＿。冬天，我喜欢去＿＿＿＿＿看大象；夏天，我喜欢去＿＿＿＿＿去游泳、玩儿水。我们家在剧院的对面，房子的右边有一棵树，你能在地图上找到我的家吗？

地图　dìtú　map

① 汽车站　② 医院　③ 市中心　④ 水上乐园　⑤ 学校　⑥ 动物园　⑦ 剧院

六、判断正误 True or false

茅盾　Máo Dùn　Mao Dun (1896-1981), one of the greatest modern novelists in China

　　欢迎各位来到乌镇，我们的小镇有一千多年的历史，是一个文化古城。今天我要先带大家去乌镇的老邮局，然后我们去剧院看戏。之后，我们可以去庙里看看。我们会在镇上的饭店吃饭。吃完午饭后，我们去参观茅盾纪念堂，那里有这位作家的书和照片。最后我们去水上市场买东西。我们小镇的风光很美，河两边的房子、树、桥和居民的生活，一定会给你留下很好的印象。

1 乌镇的历史不长。　☐

2 乌镇的邮局又新又大。　☐

3 吃午饭之前，会去参观庙。　☐

4 茅盾是位名人。　☐

5 这个小镇中间有一条河。　☐

NOTES

欢迎　huānyíng　to welcome
文化　wénhuà　culture
庙　miào　temple
纪念堂　jìniàn táng
　　　　museum; memorial hall
桥　qiáo　bridge
印象　yìnxiàng　impression

七、回答问题 Answer the questions in English

　　中国古代，有一个人叫孟子。孟子很小就没有爸爸了，和妈妈住在一起。那时他不喜欢看书，天天出去和邻居的小孩儿玩儿，他的妈妈觉得这样不好，就搬家了。新家离坟地很近，孟子天天去坟地看热闹，还学人哭。妈妈觉得这样的环境也不好，就又搬家了。新家在市场的附近，孟子学会了买东西、卖东西，妈妈不得不又搬家。这次，他们搬到了一所学校的旁边。孟子看见那些学

学校

妈妈，我们这次搬去哪里？

生们天天上学，就要妈妈也送他去上学。妈妈很高兴，说这才是孩子应该居住的地方，就在这里住下来了。

你知道孟子是谁吗？他后来成为了中国有名的大学问家。

		NOTES
古代	gǔdài	ancient times
孟子	Mèngzǐ	mencius(372-289BC)
坟地	féndì	graveyard
学问	xuéwen	learning;knowledge

1. How many times did Mencius' family move home?

_____

2. What did Mencius do after the family moved to the place near the graveyard?

_____

3. Why didn't Mencius' mother like the residence close to a market?

_____

4. Was Mencius' mother satisfied with the residence near a school? Why?

_____

口语
Oral

1. 你家附近有哪些设施？
2. 你家附近的交通方便吗？
3. 讲一讲你家周围的环境。
4. 你觉得住在郊区有什么好处和坏处？
5. 你觉得住在市中心有什么好处和坏处？

一、填空　Fill in the blanks in Chinese

1. 我家周围有很多公共设施，有青少年活动中心、_____、
_____、_____和_____。

2. 学校附近的交通很方便，有出租车、_____、_____、
_____和_____。

二、翻译　Translation

1. There is a swimming pool near my home.

2. My home is very close to my school.

3. The cinema is only a 5-minute walk from my home.

4. It is very convenient to live in the city center.

5. There is a bus station in front of my house.

三、 你刚刚搬入新家，写一封信给你的旧同学，信中包括：

You have just moved into your new house. Write a letter to your ex-classmate.
It should include:

你的新家周围有哪些公共设施？

周围的环境

你怎么上学？

新学校怎么样？

四、 给市长写一封信，要求在你家附近建一个青少年活动中心

Write a letter to the mayor in your city and persuade him to set up a youth center
in your neighborhood

五、续写 Continuous writing

今天，我们去了海边的一栋房子，那栋房子已经五十年没人住过了，屋子

周围

一、请在图上找出邮局　Find the post-office on the map

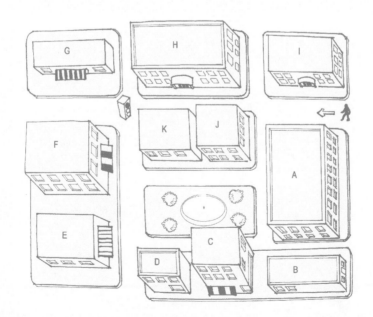

二、回答问题　Answer the questions in English

1．Who is making this speech?

2．How many families are there in this town?

3．What is the coffee shop famous for?

4．How long will the tour last?

第五课　日常生活
Everyday Life

常用实词
Useful Words

1. 起床　qǐchuáng
2. 刷牙　shuā yá
3. 上课　shàngkè
4. 下课　xiàkè
5. 休息　xiūxi
6. 做作业　zuò zuòyè
7. 功课　gōngkè
8. 运动　yùndòng
9. 打电话　dǎ diànhuà
10. 看电视　kàn diànshì
11. 睡觉　shuìjiào
12. 做家务　zuò jiāwù
13. 收拾房间
　　　shōushi fángjiān
14. 吸尘　xīchén
15. 扫地　sǎodì
16. 擦桌子　cā zhuōzi
17. 倒垃圾　dào lājī
18. 买菜　mǎi cài
19. 做饭　zuò fàn
20. 洗碗　xǐ wǎn
21. 洗车　xǐ chē
22. 剪草　jiǎn cǎo
23. 早上　zǎoshang
24. 上午　shàngwǔ
25. 中午　zhōngwǔ
26. 下午　xiàwǔ
27. 晚上　wǎnshang
28. 点　diǎn
29. 分　fēn
30. 小时　xiǎoshí
31. 分钟　fēn zhōng
32. 刻　kè
33. 半　bàn
34. 经常/常常
　　　jīngcháng/chángcháng
35. 通常　tōngcháng
36. 总是　zǒngshì
37. 有时候　yǒu shíhou
38. 一般　yìbān
39. 从来不　cónglái bù
40. 平时　píngshí

一、填空　Fill in the blanks with the words in the box

我每天下午三点半放学_____。除了星期二放学后我有合唱队的活动以外，我_____四点到家。到家后我总是_____做作业，然后会休息一下，给同学打电话或者看看_____。

吃完晚饭后我会弹半个小时的钢琴，_____看半个小时的电视。八点左右，我开始_____，看看有没有新的电邮。在网上看看新闻。十点我会去_____，然后躺在床上一边听音乐_____看小说。我一般十一点_____。

NOTES
合唱队　héchàng duì　choir
新闻　xīnwén　news

❶ 一般　　❷ 一边　　❸ 然后　　❹ 上网　　❺ 回家
❻ 洗澡　　❼ 睡觉　　❽ 杂志　　❾ 先

二、填空　Fill in the blanks in Chinese

美国有一个十七岁的体操冠军，她的教练说："我觉得她是美国最好的体操运动员，因为她可以用好每一天的_____。" 她每天早上五点半_____，六点_____，六点四十至七点做_____运动，然后练习到九点半。十点开始在学校_____，下课后再去体育馆，从四点一直练习到七八点，才开车回家。吃完晚饭后，她还要_____，她在十一点钟上床_____。（改编自刘墉先生的《超越自己》）

NOTES
体操　tǐcāo　gymnastics
冠军　guànjūn　champion
教练　jiàoliàn　coach

❶ 做作业　　❷ 时间　　❸ 起床　　❹ 热身　　❺ 睡觉　　❻ 上课　　❼ 出门

三、判断正误 True or false

妈妈每天早上六点起床，她先做早饭，六点半叫我和弟弟起床，七点一刻开车送我们上学。她回家后，要清洁房间、洗衣服、倒垃圾。她一般十二点钟吃午饭，两点钟去超市买东西，然后去学校接我们放学。四点钟我们到家，她就开始做晚饭。一直到晚上九点钟，她才可以坐下来休息。妈妈以前是经理，生了我们后她成了家庭主妇，可是她现在比以前还忙。不过妈妈说看着我们一天天长大，她觉得很开心。

1 我和弟弟六点钟起床。☐
2 我们七点钟坐妈妈的车上学。☐
3 妈妈一般在上午收拾房间。☐
4 我们四点钟下课。☐
5 妈妈生我们之前当经理。☐

NOTES

接 jiē to meet
经理 jīnglǐ manager
家庭主妇 jiātíng zhǔfù housewife

四、回答问题 Answer the questions in Chinese

星期一我起床的时候已经七点半了，妈妈很生气，因为她已经叫我三四次了。我没有吃早饭，就跑出去了，可还是没有坐上校车。只好用零花钱坐出租车，到学校的时候已经晚了十分钟了。第一节课是数学，我的数学老师是世界上最严格的老师，他的课也最没意思。他叫我中午休息的时候去办公室，因为我没有做完作业。中午，我的女朋友不同我说话，因为我去食堂的时候她已经吃完午饭了。下午上体育课的时候，我的运动鞋找不到了，体育老师的脸拉得很长。到了下午三点一刻，我刚刚跑出学校，才想起来还要参加学校的课外活动。唉，我的黑色星期一！

NOTES

零花钱 línghuā qián pocket money
出租车 chūzūchē taxi
严格 yángé strict
没意思 méi yìsi boring
办公室 bàngōngshì office

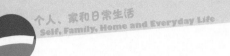

1. 妈妈为什么很生气?

2. 数学老师为什么很生气?

3. 女朋友为什么很生气?

4. 体育老师为什么很生气?

五、回答问题 Answer the questions in Chinese

脏衣服　zāng yīfu
dirty clothes

我最喜欢星期六，因为我可以中午才起床。十二点钟我们就会去餐厅喝午茶，爷爷、奶奶通常早已坐在那里等我们了。下午两点钟我回家做作业，然后做家务：打扫房间，把脏衣服放进洗衣机，有时还要帮妈妈倒垃圾。只有做完这些事后，妈妈才让我出去玩儿。我会约朋友去打篮球、买东西，有时还会和朋友去看晚上八点的电影。回家时已经十一点了，我还可以上网，我会在十二点半上床睡觉。

只有……才　zhǐyǒu……cái
only if...can

❓ 1. 为什么作者喜欢周六?

_____

❓ 2. 作者什么时候见祖父母?

_____

❓ 3. 作者出去玩儿之前,一定要做哪些事情?

_____

❓ 4. 睡觉之前,作者在家做什么?

_____

六、回答问题 Answer the questions in English

　　今天早上在校车上的时候,十年级的大卫坐在我旁边,他对我说"早上好"。天哪,他还知道我的名字!我很高兴,大卫是学校最能干的男孩儿,学习好,体育又好,是"万人迷"。中午在小卖部前看见他,他送给我一罐可口可乐。放学后我把可口可乐拿回家,看了又看,把它放进冰箱里,想做纪念。谁知道,爸爸回家后,把可口可乐给喝了!我好心疼。不过今天还是我从小到大最开心的一天。

NOTES

能干　nénggàn　capable
小卖部　xiǎomàibù　tuck shop
可口可乐　kěkǒu kělè　Coca-Cola
心疼　xīnténg　to be distressed

? 1. Who is David?

_____

? 2. What did David say on the school bus?

_____

? 3. Why didn't the author drink the coke?

_____

? 4. What happened to the coke?

_____

七、回答问题 Answer the questions in English

劳工部长　láogōng bùzhǎng
Secretary of Labor

美国华裔劳工部长赵小兰(Elaine Chao)一共有五个妹妹。小时候，她的父母要求她们每天都做家务，她们要自己洗衣服、打扫房间、清洁游泳池；周末的时候要为花园拔草；每当家里请客，都是她们姐妹当服务员，爸爸、妈妈和客人坐着，她们姐妹要站在后面，给客人上菜、上茶；家里旅行，也是她们姐妹作计划、订旅馆。赵家六姐妹长大后，每个人都很能干，她们说这是和父母对她们的教育分不开的。

NOTES

清洁	qīngjié	clean
拔草	bácǎo	to pull up weeds
请客	qǐngkè	to stand treat;
		to invite sb. to dinner
教育	jiàoyù	education

1. How many people are there in Elaine's family?

2. What housework did Elaine and her sisters do when they were young? Name three things.

3. What did they do when there were guests at family dinner?

4. What did they do before the family traveled?

Oral

1. 你每天几点起床？

2. 你每天几点吃晚饭？

3. 你每天几点上学？

4. 你们几点开始上课？几点放学？

5. 你们课间休息吗？

6. 你们中午休息多长时间？

7. 你每天放学后都有课外活动吗？

8. 你一到家先做什么？

9. 你每天都有作业吗？一般要做几个小时的作业？

10. 你做完作业后通常做什么？

11. 你们家里谁做家务？

12. 你做家务吗？你一般做哪些家务？

Writing

一、填空 Fill in the blanks in Chinese

小花每天帮妈妈洗碗、＿＿＿＿＿、＿＿＿＿＿、＿＿＿＿＿和＿＿＿＿＿。

二、翻译 Translation

1. I go to school at 7:30.

   _____

2. I usually go to bed at 11:00.

   _____

3. After dinner, I often watch TV for half an hour.

   _____

4. I usually do my homework while listening to music.

   _____

5. When do you usually finish school?

   _____

三、写一写去年你生日的那一天，包括:
Write about your last year's birthday. You should include:

你的生日
在哪一天?

在你生日那
一天你做了
什么事?

爸爸、妈妈
怎样为你庆
祝生日?

你收到了哪
些礼物?

这个生日和
以前的有什
么不同?

四、按以下的时间表写 "我的星期天"
Write an essay titled "My Sunday" using information from the timetable below

09:00	起床
10:00	去教堂
14:00	和朋友买东西
15:00	看电影
18:00	吃晚饭
20:00	打电话
22:30	上网
00:00	看世界杯足球赛
03:00	睡觉

五、续写 Continuous writing

小明的爸爸在电视台工作，他每天
....

....

....

....

....

....

....

....

一、填空 Fill in the blanks in Chinese

09:00	
	参观博物馆
14:00	
	去图书馆

二、判断正误 True or false

1▶ 贝贝是大学生。 □

2▶ 她在北京的时候每天十点半睡觉。 □

3▶ 香港的同学一般都晚睡晚起。 □

4▶ 贝贝的一个同学经常晚上八点就睡觉了。 □

学校生活和未来规划
School Life and Future Plan

LESSON 6

第六课　　不同的课程

Different Subjects

常用字词
Useful Words

1. 课程 kèchéng	21. 有意思 yǒu yìsi
2. 科目 kēmù	22. 没有意思 méiyǒu yìsi
3. 数学 shùxué	23. 有用 yǒu yòng
4. 科学 kēxué	24. 没用 méi yòng
5. 物理 wùlǐ	25. 严格 yángé
6. 化学 huàxué	26. 难 nán
7. 生物 shēngwù	27. 容易 róngyì
8. 英文 Yīngwén	28. 时间表 shíjiān biǎo
9. 外语／外文	29. 课程表 kèchéng biǎo
wàiyǔ／wàiwén	30. 节 jié
10. 经济 jīngjì	31. 门 mén
11. 历史 lìshǐ	32. 学习 xuéxí
12. 地理 dìlǐ	33. 复习 fùxí
13. 电脑 diànnǎo	34. 预习 yùxí
14. 音乐 yīnyuè	35. 练习 liànxí
15. 戏剧 xìjù	36. 回答 huídá
16. 美术 měishù	37. 问题 wèntí
17. 家政 jiāzhèng	38. 考试 kǎoshì
18. 设计与科技	39. 测验 cèyàn
shèjì yǔ kējì	40. 成绩 chéngjì
19. 体育 tǐyù	41. 及格／不及格
20. 对……感兴趣	jígé／bù jígé
duì……gǎn xìngqù	

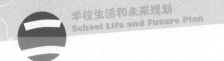

一、回答问题　**Answer the questions in English**

　　虽然我的学校是名校，同学也很友好，可是我不想在这所学校上学，因为我妈妈是这儿的数学老师。每次数学考试，我考得好，老师说："你是数学老师的儿子，当然考得好了。"考得不好，老师说："你妈妈是数学老师，你怎么考得这么差？"而且妈妈总是第一个知道我的分数。如果我考得不好，她马上会给我找来很多数学练习题，要我周末做完。我在英文课上说话，妈妈很快就听说了，她很生气，说她和我的英文老师是好朋友，我要给她"面子"。可是妈妈从不给我"面子"，我的朋友是她的学生，他们都说她太严格，让我真的不好意思。

NOTES

知道　zhīdào　to know
分数　fēnshù　mark
面子　miànzi　to show due
　　　　　　respect to one's feeling

❓ 1. Why does the author want to find a new school?

_____

❓ 2. What will his maths teacher say if the author doesn't do well in the test?

_____

❓ 3. What will Mum do if she knows that the author performs poorly in the test?

_____

❓ 4. What do the author's friends think about his Mum?

_____

二、回答问题 **Answer the questions in Chinese**

> 我今年上十年级，明年就会参加中学会考。我今年学十一门课：数学、化学、生物、物理、英文等。虽然中文很难，我还是选了，因为中文很有用。我开始不知道是选戏剧好还是选音乐好，因为戏剧课很难，但有意思。音乐课会很容易，因为我从五岁就开始学钢琴。最后我还是选了戏剧，因为我真的喜欢演戏，我不太喜欢弹琴。美术我没有选，因为我听说有很多作业，考试也很难。我本来还想学家政，可是妈妈说她可以在家教我，不用学了。最后我还选了电脑，因为我最好的朋友小花学电脑。我很幸运，因为在选课的过程中，父母只是给我一些建议，从来不要求我学哪门课。

NOTES

幸运	xìngyùn	lucky
建议	jiànyì	suggestion
要求	yāoqiú	to demand

1. 作者今年选了哪几门课？

2. 作者为什么选中文课？

3. 作者最后为什么不选音乐课？

4. 作者为什么选戏剧课？

5. 作者为什么感到幸运？

三、多项选择 *Multiple choice*

我的同学给我起了一个外号，叫"书虫"，因为我的学习好，门门课都拿高分，老师又喜欢我。其实我不是只想拿高分，我是想把每件事情做到最好。我也参加了很多课外活动，如长跑、打网球等。我还参加了学校的合唱团。虽然我的朋友不多，有时还会被同学看不起，不过没关系，我记得比尔·盖茨（Bill Gates）的话："对那些书虫好一点儿，因为也许有一天你得为那些书虫工作。"

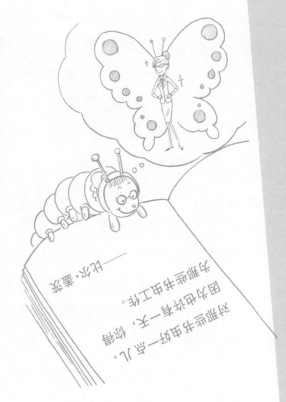

NOTES

外号	wàihào	nickname
长跑	chángpǎo	long-distance running
记得	jìde	to remember

1. 学生把_____的学生叫"书虫"。

   ❶学习差，拿高分　　　　❷学习好，拿高分

   ❸学习好，老师不喜欢　　❹老师喜欢，同学不喜欢

2. 作者拿高分的原因是_____。

   ❶做事要求完美　　　　❷喜欢拿高分

   ❸想让老师开心　　　　❹喜欢读书

3. 作者的朋友少，他_____。

   ❶不开心　　❷很伤心　　❸很痛苦　　❹不介意

4. 比尔·盖茨是_____。

   ❶老师　　❷校长　　❸商人　　❹服务员

四、判断正误 True or false

NOTES

森林	sēnlín	forest
蛋糕	dàngāo	cake
巧克力	qiǎokèlì	chocolate
热油	rè yóu	hot oil
炒	chǎo	to stir-fry

我喜欢家政课，因为可以走来走去，也可以和同学讲讲笑话。我最喜欢做黑森林蛋糕了，因为可以一边做，一边吃巧克力。那些巧克力是用来做蛋糕的，有时蛋糕还没做好，巧克力却被吃完了。我常常把做好的蛋糕带给妈妈吃，她喜欢吃我做的蛋糕。不过我很怕热油，所以如果需要炒菜时，我总是让我的同学小明做，而我不得不洗碗。

1 作者喜欢家政课是因为不用坐在那里。☐
2 作者的妈妈喜欢吃五星级酒店的蛋糕。☐
3 作者觉得炒菜时太热。☐
4 作者喜欢洗碗。☐

五、回答问题 Answer the questions in Chinese

今天第二节课是英语课。老师走进教室的时候很生气，他把两个同学叫了出去。一会儿他一个人回来了，说："那两个同学现在在校长室。昨天你们做了错事，现在每个人都要写昨天做了什么。" 我做错了什么？我一直是好学生啊！我写了昨天我做的事情，心里很怕。十分钟过去了，忽然，英文老师大笑起来，把门打开，那两个同学也笑着走进来。老师说："今天我们学写'心情'。现在，把刚才你的感觉写出来，五百字。"

NOTES

怕	pà	to be scared
笑	xiào	to laugh
心情	xīnqíng	mood; state of mind
感觉	gǎnjué	feeling

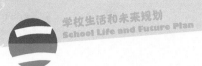

1. 英语课在第几节课？

_____

2. 作者当时的心情怎样？

_____

3. 那两个出去的同学有没有见到校长？

_____

4. 作者今天在英语课要做什么课堂作业？

_____

六、配对　Match the book titles on the left to the subjects on the right

A

1. 东南亚美食
2. 网球入门
3. 科学小实验
4. 英国短篇小说集
5. 网页大全
6. 现代山水画
7. 乐理一百问
8. 世界五千年
9. 汉语对话
10. 舞台人物
11. 黄河
12. 趣味代数

B

a. 体育
b. 中文
c. 历史
d. 电脑
e. 音乐
f. 数学
g. 地理
h. 英语
i. 美术
j. 科学
k. 戏剧
l. 家政

七、多项选择 *Multiple choice*

1.今天我有体育课，所以我要带_____。

❶皮鞋　　❷皮包　　❸跑鞋

2.家政课的老师叫每个同学都需要穿_____上课。

❶围巾　　❷围裙　　❸短裙

3.做化学实验的时候要戴_____。

❶护眼镜　　❷太阳镜　　❸镜子

4.上语言课的时候，我们经常用_____。

❶画笔　　❷字典　　❸字画

5.上戏剧课的时候，我们要穿_____。

❶便服　　❷和服　　❸运动服

八、完成句子 *Complete the sentences*

1. 他会考得了十个A，因为_____

2. 她对戏剧不感兴趣，所以_____

3. 她觉得地理很难学，因此_____

4. 他每次数学考试都得第一，因为_____

5. 经济学的王老师上课生动，所以_____

6. 虽然明天有英语考试，但是_____

7. 虽然汉语很难学，但是_____

8. 他这一段时间，每天上课都在睡觉，因为_____

_____

1. 你今年学了几门课?

2. 你觉得哪门课容易? 为什么?

3. 你觉得哪门课难? 为什么?

4. 你觉得哪门课作业最多?

5. 你哪门课很少有作业?

6. 你每天有多少节课?

7. 你的数学老师是哪国人? 他／她教得怎么样?

8. 你觉得哪门课最有用?

9. 你每周上几节中文课? 哪天上?

10. 你最近有考试吗? 考什么? 考得怎么样?

一、填空　Fill in the blanks in Chinese

我今年选了十门课：科学、＿＿＿＿＿＿、＿＿＿＿＿＿、

＿＿＿＿＿＿、＿＿＿＿＿＿等。

二、翻译　Translation

1. Physics is very boring.

2. Music is very difficult.

3. My mom said that Chinese was very useful.

4. There is no homework for PE.

5. There are too many exams for maths.

三、写一写你最喜欢的课，包括：

Write about your favorite subject. You should include:

你最喜欢哪门课，为什么？

在这门课上，你一般做什么？

你的考试多不多？

谁是你的老师？他/她教得好吗？

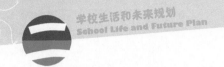

四、续写 Continuous writing

今天第二节课是数学，校长走进教室，他生气地对我说

......

......

......

......

......

......

......

......

一、回答问题 Answer the questions in Chinese

1. 作者为什么觉得音乐课很容易？

2. 作者有时会在音乐课上做什么？

3. 作者为什么要感谢他妈妈？

4. 作者什么时候才真正喜欢上弹钢琴的？

二、填空　Fill in the blanks in Chinese

　　　　小丽今年上＿＿＿＿＿＿＿，她要学＿＿＿＿＿＿＿课，包括英文、

＿＿＿＿＿＿＿和戏剧等。她最喜欢上戏剧课，因为她最喜欢演戏，

老师常常说她＿＿＿＿＿＿＿；她以为电脑课很有意思，可是上了两

个星期后，她一点儿也不感＿＿＿＿＿＿＿；体育课最好玩儿，又没

有＿＿＿＿＿＿＿。十年级虽然很忙，但是学校＿＿＿＿＿＿＿还是很开

心的。

第七课 学校设施
School Facilities

常用实词
Useful Words

1. 设施　shèshī
2. 教学楼　jiàoxué lóu
3. 教室　jiàoshì
4. 校长室　xiàozhǎng shì
5. 办公室　bàngōngshì
6. 医务室　yīwù shì
7. 体育馆　tǐyùguǎn
8. 体操房　tǐcāo fáng
9. 健身房　jiànshēnfáng
10. 足球场　zúqiú chǎng
11. 篮球场　lánqiú chǎng
12. 运动场　yùndòngchǎng
13. 操场　cāochǎng

16. 美术室　měishù shì
15. 音乐室　yīnyuè shì
16. 实验室　shíyànshì
17. 礼堂　lǐtáng
18. 图书馆　túshūguǎn
19. 游泳池　yóuyǒngchí
20. 更衣室　gēngyīshì
21. 停车场　tíngchē chǎng
22. 小卖部　xiǎomàibù
23. 食堂　shítáng
26. 正门　zhèngmén
25. 后门　hòumén
26. 校园　xiàoyuán

一、填空 Fill in the blanks with the words in the box

我的学校叫西岛中学，在香港的＿＿＿＿＿。我的学校是一所＿＿＿＿＿学校，一共有一百个老师，一千二百个学生。我们学校有很多＿＿＿＿＿：有礼堂、教学楼、体育馆、电脑室、＿＿＿＿＿、小卖部、音乐室、操场等，还有一个室内游泳池。学校每年都组织丰富多彩的＿＿＿＿＿，有足球、游泳、网球、乐队、＿＿＿＿＿等。我非常喜欢我的学校。

丰富多彩　fēngfù duōcǎi
varied and colorful

室内　shì nèi　indoor

❶ 国际　　❷ 戏剧室　　❸ 西区　　❹ 合唱团　　❺ 课外活动　　❻ 设施

二、填空 Fill in the blanks in Chinese according to the picture on the next page

我们学校在山边，周围＿＿＿＿＿优美，有很多花草树木。学校地方不大，但是设施齐全。学校大门＿＿＿＿＿是图书馆，图书馆＿＿＿＿＿有游泳池、＿＿＿＿＿和篮球场，体育馆和大礼堂在学校的最后面。学校的＿＿＿＿＿是一号教学楼，一号教学楼后面分别是二号和三号教学楼。小卖部在一号教学楼＿＿＿＿＿。三号教学楼的后面是＿＿＿＿＿。

NOTES
花草树木　huācǎo shùmù
flowers and plants
齐全　qíquán　complete; ready

❶ 左边　　❷ 隔壁　　❸ 更衣室　　❹ 后面　　❺ 右边　　❻ 足球场　　❼ 环境

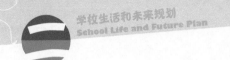

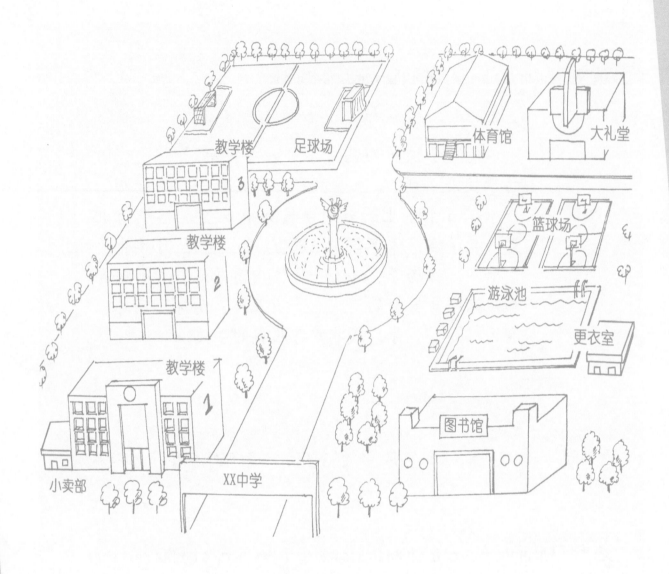

三、回答问题 Answer the questions in English

　　我的学校是网上学校。我的学校的地址就是网址，我可以坐在家里上学。我的同学是一些不能上正常的学校、只能在家里上学的人。我们一般九点钟上学校的网页，然后在"礼堂"和"同学"说说话，就进入网上"教室"。我很喜欢这儿的老师和同学，他们很友好。回答问题

NOTES

自信　zìxìn　self-confident
也许　yěxǔ　perhaps

的时候只要打字就可以了。我们不用穿校服、背书包，每天只上五个小时的课，一个星期上四天课。我的同学住在世界各地，我们可以讲讲自己国家的文化，非常有趣。我妈妈说网上学校不错，就是没有体育课，而且网友和朋友还是有点儿不同。我觉得没关系，重要的是我和我的同学们都喜欢学习，也很自信。也许，二十年后，每个学生都会像我一样在网上上学。

1. Who are the author's classmates?

2. What do the students usually do when their school opens at 9 in the morning?

3. How many hours do they need to "go to school" each day? And how many days do they need to "go to school" each week?

4. What are the pros and cons of the internet school?

5. What is the author's opinion about his or her school?

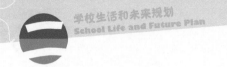

四、回答问题 **Answer the questions in Chinese**

东尼：

你好！

我来到北京国际学校已经有两个月了。学校在郊区，环境好，校园很大。所有的学生都住校，学生一半是中国人，一半是外国人。

我和一个印度同学住在一间宿舍里。他很热心，带我在校园到处走，介绍我认识新朋友。他喜欢说笑话，同他在一起，每天都很开心。

我们学的课程和我在英国的差不多，但是他们的中文课很难。不过这儿有很多中国同学可以和我讲普通话，老师也住在校园里，所以我的中文进步得很快。我在这儿经常踢足球。我很想你们，也想和你们一起打橄榄球，这里打橄榄球的人很少。

最近有没有橄榄球比赛？给我写信。

祝

好！

宿舍 sùshè dormitory
打橄榄球 dǎ gǎnlǎnqiú
to play rugby

小童
11月3日

？1. 作者现在在什么学校上学？

_____

？2. 作者和哪国人住在一间宿舍里？

_____

？3. 作者的中文为什么进步得很快？

_____

？4. 作者经常打橄榄球吗？为什么？

_____

74

五、回答问题 **Answer the questions in English**

爸爸、妈妈：

你们好！

我不喜欢我的新学校。我在这里没有朋友，同学们经常笑我的英语不好。我最不想上戏剧课，老师对我很严格，他好像很不喜欢我。食堂的饭菜很难吃。我同宿舍的学生天天晚上听音乐，我睡不着觉。我想你们，想我的小狗，想我的朋友们，我求求你们让我回家。我一定听你们的话，好好儿学习，多做家务。盼早日收到你们的回信。

祝

好！

小林

9月30日

NOTES

求 qiú to beg
盼 pàn to look forward to

❓ 1. Name three things that the author doesn't like about his new school.

❓ 2. What did the author want?

❓ 3. What did the author promise his parents?

六、多项选择 *Multiple choice*

　　美国的一个中学校长在新学期开始的时候说，如果在校的七百名学生可以在一年内看完一万本书，学生想叫他做什么，他就做什么。没想到学生们马上就开始去学校图书馆借书，只用了四个月的时间就读完了一万本书。校长很高兴地听从学生的要求：把自己的头发染成蓝色，然后爬上学校的屋顶，带着帐篷、睡袋、热巧克力奶和书在那儿睡了一个晚上，那天晚上的气温只有零下七度。

NOTES
开始　kāishǐ　to begin
读　dú　to read
染　rǎn　to dye
帐篷　zhàngpeng　tent
睡袋　shuìdài　sleeping bag

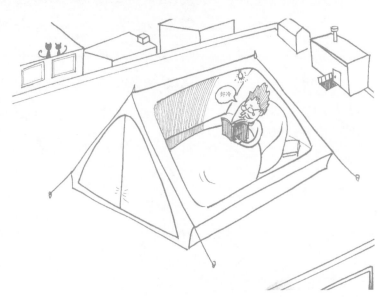

1.校长希望学生能够＿＿＿＿＿＿。

❶ 想做什么就做什么　　❷ 看完七百本书

❸ 在四个月里看完一万本　　❹ 在一年里看完一万本书

2.校长的头发染成了蓝色,因为＿＿＿＿＿＿。

❶ 他喜欢蓝色　　❷ 学生叫他这么做

❸ 他喜欢时髦　　❹ 老师都这么做

3.校长没有带＿＿＿＿＿＿上屋顶睡觉。

❶ 帐篷　　❷ 睡袋　　❸ 书　　❹ 书包

七、判断正误　True or false

　　今天上汉语课，老师教我们"方向"。老师把我们分成五个小组，每个小组有一张纸条儿，上面写着要做的事情。我们的纸条儿上写着：从图书馆出来，向左走，再向右转，下两层楼，左边第二个门，走进去，说："我爱你。"我们走着走着，到了校长室，大家笑了起来，都不敢进去。回到教室，另外四个小组也回来了，只有一个小组完成了老师给的工作，他们在医务室唱了三首中文歌。

1 我们今天的汉语课是小组活动。　□

2 老师让我们做的事情写在纸条儿上。　□

3 我们在图书馆找校长。　□

4 没有一个小组能完成老师给的工作。　□

NOTES
小组　xiǎozǔ　team
纸条儿　zhǐtiáor　slip of paper
敢　gǎn　to dare

口语
Oral

1. 你们学校有几个篮球场？

2. 学校的教师办公室在哪儿？

3. 图书馆几点关门？

4. 在图书馆最多可以借几本书？

5. 你们学校的游泳池是室内的还是室外的？

6. 美术室里有些什么东西？

7. 学校的小卖部卖些什么？

8. 从你的教室到校长室怎么走？

一、填空　Fill in the blanks in Chinese

我们学校的设施很齐全，有＿＿＿＿＿、＿＿＿＿＿、＿＿＿＿＿、

＿＿＿＿＿、＿＿＿＿＿等。

二、翻译　Translation

1. There are not a lot of facilities in my school.

＿＿＿＿＿＿＿＿＿＿＿＿＿＿＿＿＿＿＿＿＿＿＿＿＿＿＿＿＿＿＿＿

2. The library is on the 3rd floor.

＿＿＿＿＿＿＿＿＿＿＿＿＿＿＿＿＿＿＿＿＿＿＿＿＿＿＿＿＿＿＿＿

3. The changing room is near the swimming pool.

＿＿＿＿＿＿＿＿＿＿＿＿＿＿＿＿＿＿＿＿＿＿＿＿＿＿＿＿＿＿＿＿

4. There are 1 000 students in the assembly hall now.

＿＿＿＿＿＿＿＿＿＿＿＿＿＿＿＿＿＿＿＿＿＿＿＿＿＿＿＿＿＿＿＿

5. The tuck shop is always crowded.

＿＿＿＿＿＿＿＿＿＿＿＿＿＿＿＿＿＿＿＿＿＿＿＿＿＿＿＿＿＿＿＿

三、写一下你的学校，包括：
Write about your school. You should include:

你学校的名字

学校在哪儿？

学校有多少老师和学生？

学校的设施

学校有什么课外活动？

其他……

你喜欢你的学校吗？为什么？

四、续写 Continuous writing

我的同学告诉我："今天不要去实验室！"他还说

一、填空　Fill in the blanks in Chinese

穷　qióng　poor

我的中学在中国的＿＿＿＿山区，那里人＿＿＿＿、
＿＿＿＿少，非常穷。 我们＿＿＿＿有三十多个学生，有
大也有小，在一间＿＿＿＿上课。我们的王老师，他什么
＿＿＿＿都教，还要给我们做饭。老师经常跟我们讲"山
的那边有什么"，他要我们好好儿读书，长大后＿＿＿＿
大山，去看看外面的＿＿＿＿。

二、回答问题　Answer the questions in English

1. When will the library be closed?

2. How many books can be borrowed?

3. How many days can you keep the books for?

4. What is the rule about borrowing DVDs?

LESSON 8

第八课 学校活动
School Activities

1. 学校活动
   xuéxiào huódòng
2. 运动会　yùndònghuì
3. 音乐会　yīnyuè huì
4. 义卖会　yìmàihuì
5. 舞会　wǔhuì
6. 文化节　wénhuà jié
7. 开放日　kāifàng rì
8. 话剧表演
   huàjù biǎoyǎn
9. 舞台剧　wǔtái jù
10. 时装表演
    shízhuāng biǎoyǎn
11. 乐队　yuèduì
12. 演出　yǎnchū
13. 赛跑　sàipǎo
14. 输　shū
15. 赢　yíng

16. 长跑　chángpǎo
17. 短跑　duǎnpǎo
18. 铁饼　tiěbǐng
19. 铅球　qiānqiú
20. 比赛　bǐsài
21. 跳远　tiàoyuǎn
22. 跳高　tiàogāo
23. 举行　jǔxíng
24. 冠军　guànjūn
25. 亚军　yàjūn
26. 季军　jìjūn
27. 金牌　jīnpái
28. 银牌　yínpái
29. 铜牌　tóngpái
30. 露营　lùyíng
31. 热闹　rènao
32. 人山人海
    rén shān rén hǎi

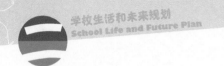

一、回答问题 **Answer the questions in English**

妈妈：

您好！

我来北京参加学校的汉语夏令营已经有两个星期了。我们上午学汉语、练武术还学做中国点心；下午去参观名胜古迹，如故宫、长城等；晚上去看杂技、京剧等。我最喜欢看杂技，一个自行车上可以站上十几个人！我还去北京人的家里做客了，他们很热情，给我包饺子吃，带我参观他们住的小区。

我很想家。天天吃中餐有点儿受不了，我每天只有早上的西式自助餐可以吃饱。我的同屋玛丽每天要开着灯睡觉，使我睡不好觉，不过现在我好多了。我下星期五晚上回家，不用去机场接我，玛丽的妈妈会开车送我回家。

祝

好！

安

8月5日

杂技 zájì acrobatics

饱 bǎo full

NOTES

练武术 liàn wǔshù **martial arts**

名胜古迹 míngshèng gǔjì **scenic spots and historical sites**

故宫 Gùgōng **Forbidden City**

长城 Chángchéng **Great Wall**

❓ 1. Name three activities they do during the daytime in the camp.

_____

❓ 2. What do they do in the evenings?

_____

❓ 3. Name two things that Ann does not get used to in the summer camp.

_____

❓ 4. How will Ann go back home from the airport?

_____

二、回答问题　Answer the questions in Chinese

　　我们学校今年圣诞节的舞台剧是《国王的新衣》。老师和同学花了很长的时间排练。一共有五十人参加，除了台上演出的同学，还有同学做服装、打灯光，忙了两个月。开始我只想演路人，不用说一句话。可是大家都说我长得又高又大，应该演国王。国王是主角，又是不穿衣服的国王，我心里有点儿怕。可是大家说我行，我就试一试。一试还真有意思，当国王的感觉很不错。上演的那天，我刚刚讲了几句话，突然咳嗽起来。礼堂里一点儿声音也没有，情急之下，我只好用手指着坐在台下的校长，大声说："我为什么咳嗽？是不是你在说我的坏话？"大家都笑了。演出完了以后，校长说因为我那两句话，今天的演出他给我打一百分。

NOTES

排练 páiliàn to rehearse
路人 lùrén passer-by
试一试 shì yi shì to have a try
咳嗽 késou to cough
坏话 huài huà malicious remarks

我为什么咳嗽？
是不是你在说我的坏话？

1. 《国王的新衣》将在什么时候上演？

_____

2. 在五十个同学中，除了演员，其他同学做什么？

_____

3. 作者为什么想演路人？

_____

4. 大家为什么选作者演国王？

_____

5. 上演的那天发生了什么意外？

_____

6. 校长为什么给作者打一百分？

_____

三、判断正误　True or false

　　我们学校今年的开放日在五月八日，那天学校很热闹，操场上有五十个摊位：有二手书、衣服、文具、食物、游戏摊位等。而摊位的主人都是学生和家长。他们见到对他们的东西感兴趣的人，都非常热情，大声叫卖："买一送一。""看看吧，买个书包吧。"一个小时下来，有的

摊位已经赚了五百多元，也有的摊位只卖出了一个玩具，拿到十元钱。不管卖多还是卖少，他们的叫卖声听起来都很快乐。我们班的摊位卖热狗，我帮助收钱。我也给自己买了不少二手英文小说。这一天全校一共赚了八万五千块钱，我们会捐给老人院。

▶1 卖东西的人都是学生或家长。 ☐
▶2 每个摊位都赚了很多钱。 ☐
▶3 学校在这个开放日赚了 80 500 元。 ☐
▶4 作者在开放日卖热狗和二手书。 ☐

NOTES
摊位　tānwèi　stall; booth
主人　zhǔrén　owner
赚　zhuàn　to earn
热狗　règǒu　hot dog
帮助　bāngzhù　to help
捐　juān　to donate

四、填空　Fill in the blanks with the words in the box

五月八日,学校在台北运动场举行了运动会。那天有很多比赛：长跑、短跑、跳高、_____、铁饼、铅球等。我们为自己的朋友_____，又唱又叫，_____都疼了。我参加了女子一千五百米_____和跳高。跑一千五百米时，我一开始起跑就慢了，中间的时候我_____，很想不跑了，但是我还是跑完了，得了第五名。我在跳高的比赛中跳过一米三，比第二名高出很多，得到了_____。运动会到下午三点钟才完，我和几个好朋友去肯德基庆祝我的好_____。

肯德基　Kěndéjī
Kentucky Fried Chicken

❶加油　❷冠军　❸肚子疼　❹成绩　❺长跑　❻跳远　❼嗓子

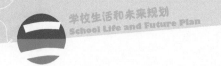
五、多项选择　*Multiple choice*

　　今年三月我和学校的几位同学参加了英国电视台在伦敦举行的中国话比赛。到了电视台，我看到大部分比赛者都是亚洲人，我想我一定比不过他们，他们可能都是中国人。我上台的时候，一点儿也不怕，我介绍了我自己，还说了一个笑话。台下的人都在笑，不知道是我说错了、发音怪，还是我看起来很可笑。谁知道我最后得了第三名！我还得到了一个花瓶和一百英镑的购书券。我十分高兴，我的中文老师请我们在中国城吃了点心。

花瓶　huāpíng
vase

购书券　gòu shū quàn
book voucher

1. 作者参加了_____比赛。

❶ 中国诗歌　　❷ 中国画　　❸ 中国歌曲　　❹ 中国话

2. 参赛者中_____是亚洲人。

❶ 大多数　　❷ 少数　　❸ 有一半　　❹ 有一小半

3. 作者上台的时候_____。

❶ 很害怕　　❷ 很大方　　❸ 有一点儿怕　　❹ 吓坏了

4. 以下哪个应该不是观众笑的原因：_____。

❶ 作者说错了　　　　　　❷ 作者的样子很可笑

❸ 作者没有讲他自己的名字　　❹ 作者发音不对

5. 作者的奖品是_____。

❶ 花和书　　　　　　❷ 花瓶和钱

❸ 花瓶和购书券　　　❹ 花瓶和一百英镑

六、回答问题 **Answer the questions in Chinese**

> 今天，我和我的同学都穿上了西装或套装上学，因为今天是学校的"商务日"，这是我校商科和经济科的老师设计的学习活动。我们早上八点半开始吃"商务早餐"，边吃边谈最近的经济新闻。上午，我们听了几个演讲，演讲者有大公司的经理，也有学生。下午，我们就分成几个小组，我们小组和银行家、律师合作，写了几份公司计划书。今天的活动使我对商业运作有了了解，也使我对商科更感兴趣了。

NOTES

商务	shāngwù	business affairs
设计	shèjì	to design
演讲	yǎnjiǎng	to make a speech
运作	yùnzuò	(of organizations) operate

1. 今天作者为什么不穿校服？

2. 作者在吃早餐时，谈论了什么事情？

3. 谁是演讲者？

4. 下午作者做了些什么？

5. "商务日"对作者有什么帮助？

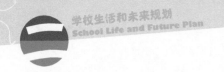

七、填表　Read the following text below and complete the form

　　为了提高学生读书的兴趣，我们学校在这个星期举办了"读书周"。星期一，老师和学生都穿上了五花八门的衣服，他们在扮演书中的一个角色。我的同学小明戴上了眼镜，穿着白衬衫、黑毛衣，打着一条金、红色的领带——不用说我们也知道，他在扮演哈里·波特（Harry Potter）。我们的校长戴上假发和皇冠，他现在是李尔王（King Lear）。中午的时候，老师和学生们一起去操场，走了一圈儿，还选出了两个最佳服装奖。每天我们在班会上读五分钟的书，而且在星期三和星期五下午，一点到两点半，每个同学都要拿出自己的书来读。

读书周

目的	
时间	
参加的人	
活动（三个）	

八、判断正误 *True or false*

选举 xuǎnjǔ
election

学生1：上了十二年级，学习忙不忙？

学生2：忙，而且我们在忙学生会选举。我们找了同年
　　　　级的女孩儿，有三十多人，名字叫"花木兰"
　　　　（Hua Mulan）。

学生1：为什么不叫几个男孩子？

学生2：叫了，可是他们不好意思，只愿意帮忙，不参加。

学生1：你们都做些什么？

学生2：我们有的设计海报，有的写演讲词，有的拍短片。

学生1：你们有什么主张？

学生2：我们会建议学校周末举办音乐会，下雨天借伞给
　　　　学生。

学生1：你觉得你们会赢吗？

学生2：当然，不少男生说会投票给我们。而且，我们有
　　　　很多七八年级的小妹妹们帮忙，她们的热情比我
　　　　们还高。

1 男孩子不参加，因为他们学习太忙了。　☐

2 "花木兰"是由三十几个十二年级的女学生组成的。　☐

3 她们会要求学校每天借伞给学生。　☐

4 家里七八岁的妹妹也来帮忙。　☐

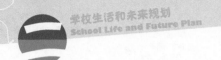

1. 你每年都参加学校的运动会吗?

2. 你一般会参加哪些项目?

3. 你们学校有水上运动会吗?

　如果有, 一般在什么时候举行? 你会参加吗?

4. 学校的义卖会一般有些什么摊位?

5. 你去过学校的圣诞音乐会吗? 门票多少钱一张?

6. 在你们学校, 有没有春节庆祝活动?

7. 你最想参加的学校活动是什么?

8. 讲一讲你们学校组织的一次旅行。

一、填空　Fill in the blanks in Chinese

　　学校每年都举办各种活动, 如运动会、————、————、
————、————等。

二、翻译　Translation

1. What did you do at the school fair last year?

2. The Christmas concert will start at 7:00 pm.

_____

3. The Reading Week will be from 28th of Mar. to 1st of Apr.

_____

4. Where will our school's sports day be held?

_____

5. I participate in a lot of school activities this year.

_____

三、写一写学校的运动会，包括：
Write about the sports day in your school. You should include:

运动会在什么
地方举行的？

天气怎么样？

有哪些比赛？
你参加了什么
比赛？

在运动会上
你最爱看的
是什么比赛？
为什么？

四、续写　Continuous writing

今天，我报名参加了学校的乐队

··

··

··

··

··

··

一、填空　Fill in the form in Chinese

日　期	
时　间	
地　点	
活动内容	

二、回答问题　Answer the questions in English

1. What does Xiao Ming do in the school's lion dance team?

2. When will they give a performance to the whole school?

3. Is it difficult to perform the lion dance?

4. What is the most important point to consider when performing the lion dance?

第九课　未来职业规划
Future Career Plans

Useful Words

1. 工人　gōngrén
2. 司机　sījī
3. 厨师　chúshī
4. 服务员　fúwùyuán
5. 售货员　shòuhuòyuán
6. 警察　jǐngchá
7. 邮递员　yóudìyuán
8. 演员　yǎnyuán
9. 作家　zuòjiā
10. 画家　huàjiā
11. 工程师　gōngchéngshī
12. 校长　xiàozhǎng
13. 教师／老师

　　jiàoshī／lǎoshī
14. 教授　jiàoshòu
15. 医生　yīshēng
16. 牙医　yáyī
17. 兽医　shòuyī
18. 护士　hùshi
19. 律师　lǜshī
20. 法官　fǎguān
21. 商人　shāngrén

22. 经理　jīnglǐ
23. 银行家　yínhángjiā
24. 家庭主妇　jiātíng zhǔfù
25. 公司　gōngsī
26. 律师行　lǜshīháng
27. 工厂　gōngchǎng
28. 医院　yīyuàn
29. 酒店　jiǔdiàn
30. 饭店　fàndiàn
31. 商店　shāngdiàn
32. 全职　quánzhí
33. 兼职　jiānzhí
34. 以后　yǐhòu
35. 将来　jiānglái
36. 毕业　bìyè
37. 留学　liúxué
38. 出差　chūchāi
39. 工资　gōngzī
40. 赚钱　zhuàn qián
41. 人事部　rénshì bù
42. 简历　jiǎnlì

一、配对　Match the sentences from column A with the sentences from column B

A

1.我长大了想做空中小姐，

2.我的理想是当一名科学家，

3.我希望当经理，

4.我的理想是做一名运动员，

5.我长大了想当电影明星，

6.我希望当一名作家，

B

管理　guǎnlǐ　in charge of

a.管理一家五星级酒店。

b.这样，我就可以去世界各地旅行。

c.写出很多小说。

d.拿到奥斯卡金像奖，有很多喜欢我的影迷。

e.在奥林匹克运动会上拿到跳高的金牌。

f.发明一种药，可以使许多人活到一百岁。

理想　lǐxiǎng　ideal

二、回答问题　Answer the questions in Chinese

香港迪士尼公园人事部

林先生：

　　您好！

　　我从《明报》上看到你们的广告，需要二十名暑期工，我很感兴趣。

　　我叫张天，是香港人，今年十八岁。我在国际学校上十三年级，我会说普通话、英文和法文。我性格外向，喜欢和人交往。去年我在海洋公园做过一个月的暑期工，我演小丑，也卖过汉堡包。

我去过世界上所有的迪士尼公园。我觉得迪士尼给小朋友们带来了很多欢乐，所以我很希望能在你们公园工作。随信附上我的简历，希望早日收到您的回信。

　　祝

好！

张天
7月5日

NOTES

迪士尼	Díshìní	Disney
暑期	shǔqī	summer
性格	xìnggé	character
交往	jiāowǎng	to associate (with)
小丑	xiǎochǒu	clown

1. 张天是从哪儿看到广告的？

_____

2. 张天的性格怎么样？

_____

3. 张天有什么工作经验？

_____

4. 张天觉得迪士尼给小朋友带来什么？

_____

5. 张天在信里还附了什么？

_____

三、判断正误 True or false

今年暑假，我在一所英文学校做暑期工，工作是教九到十一岁的小孩子英文。我有二十个学生，我要教他们唱英文歌，还要教他们用英语对话。他们最喜欢做游戏，每次都很开心。我最头疼的是每次上课的时候，总有学生在下面讲话，我说他们的时候，有的还哭了起来。一个月很快就过去了，我走的时候，学生们送给我一张感谢卡，上面有一个大大的红心。我觉得当老师真不容易，以后上课一定要好好儿听老师的话。

1 ▶ 作者去年暑假做了一个半月的暑期工。☐
2 ▶ 作者教小朋友英文口语。☐
3 ▶ 作者不喜欢小朋友上课讲话。☐
4 ▶ 作者不喜欢小朋友哭。☐
5 ▶ 作者认为老师的工作不难做。☐

四、填表 Read the following text ang complete the form

很多中学生毕业后，会休学一年，然后再上大学，这被称为"空当年"。下面是几个同学对空当年的看法：

大明：在旅行中可能会交到坏朋友，不安全。

美美：我认为一边打工一边旅行，了解各国的风土人情，是很宝贵的经验。

小林：离开父母，自己学会照顾自己，让年轻人知道生活不容易。

红月：一年不读书，上大学后就跟不上了。

东东：晚一年上大学，就晚一年工作，会加重父母的经济负担。

名字	赞成	不赞成	原因
大明		√	不安全

五、回答问题 Answer the questions in Chinese

本人是一名十年级的中学生，需要请一名女性中文家教——大学毕业，教中国文学和写作。有兴趣者请致电87945674，找林小姐。

NOTES

兼职	jiānzhí	part-time job
学历	xuélì	education background
声音	shēngyīn	voice
甜美	tiánměi	sweet
奥运会	Àoyùnhuì	Olympic Games
义工	yìgōng	volunteer
技能	jìnéng	skill

②

本公司需要兼职女电话接线员一名，中三以上学历，声音甜美，懂中英文，工作时间下午五点到七点。有兴趣者请致电82210357，找人事部王先生。

③

为迎接2008年奥运会，现需要海外义工一万名，其工作是为各国的运动员和观众服务。义工不分性别，年龄在十八岁以上，可以讲汉语和其他一种语言，了解各国文化，有一定技能。有兴趣者可在12月30日前在奥运网上报名。

❓1. 如果你是一个十七岁的女中学生，你可以申请哪份工作？

❓2. 申请哪一份工作不用打电话？

❓3. 哪份工作对申请者的性别没有要求？

❓4. 这三份工作都需要中文吗？

❓5. 不会英文的人可以申请哪两份工作？

六、回答问题　Answer the questions in Chinese

　　妈妈总是说我天天玩儿电脑游戏，将来找不到工作。昨天我在报纸上看到一条新闻，一个超级游戏玩家，找到了一个几十万元的工作，而他的工作就是玩儿游戏。我知道这种工作不容易找，但又能玩儿又能挣钱的工作真是理想的工作。我想以后设计电脑游戏，因为我特别喜欢玩儿电脑游戏，我玩儿过各种游戏。电脑游戏将来会很有用，学习和工作都少不了它。我要让妈妈知道她的想法是错的。

NOTES

报纸　bàozhǐ　newspaper
挣钱　zhèng qián　to earn money

❓ 1. 妈妈为什么说作者将来找不到工作？
_____

❓ 2. 昨天作者看到了什么新闻？
_____

❓ 3. 作者心中理想的工作是怎样的？
_____

❓ 4. 电脑游戏将来为什么有用？
_____

七、填空　Fill in the blanks with the words in the box

电视台　diànshìtái
TV station

　　这个暑假，经过几次_____，我被电视台选中，在_____里演一个中学生。虽然没有一句话，钱也很少，但是，能和电视新星李云一起_____，已经让我和家人高兴了好几天。我的戏主要是在教室，大家坐在一起上课，可是因为李云经常出错，所以三分钟的戏，经常拍半个小时。李云每天晚来早走，从来不同我们说话。不过她因为出错，常常被其他人说，我也挺_____她。电视剧_____的第一天，我和家人早早儿地就坐在_____前，可是等到完，我也只看到了自己的一个背影。我从小就想当_____，经过这一个_____，我自己也不知道还想不想当。

背影　bèiyǐng
view of sb's back

① 同情　② 播出　③ 演出　④ 考试　⑤ 夏天　⑥ 电视机　⑦ 演员　⑧ 电视剧

八、回答问题 Answer the questions in English

客户 kèhù *client*

我在香港工作，是银行家。今年我有很多奖金，相当于三十个月的工资。我一个星期最少去北京出差一次，每个月都会飞到世界各地见客户，或与总公司开会。每天晚上要和不同的人吃饭，半夜还要关心欧美市场，有时早上五点钟就要起床看文件。不要看我赚得多，我的工作时间也特别长，经常二十四小时工作，有时节假日也要工作。有几次我买好机票准备去度假，可是就在出发的前一天，公司叫我去其他地方出差。

1. Does the author need to travel a lot? Where does he usually go?

2. What's the author's profession?

3. Does the author have dinner with his family every evening? Why or why not?

4. Does the author occasionally need to get up early? What does he usually do if he has to wake up early in the morning?

5. Can the author always go for his holidays as planned? Why or why not?

九、多项选择　Multiple choice

　　　　我是法国居民楼的看楼人。我的工作是清扫楼层和花园，清理垃圾和分发信件，还要记住三百多个居民的名字。我也住在这栋楼里，但只需交很少的房租，而电话费、电费和水费都不用交。居民们把我当成朋友，他们会把家里的钥匙交给我，圣诞节的时候还会送给我很多礼物。我一年还有一个月的假期。我以前做过电脑方面的工作，会说六国语言。我觉得我现在这个工作很舒服，我会一直干到退休。

NOTES

清理	qīnglǐ	to sort out; to clear up
分发	fēnfā	to distribute
钥匙	yàoshi	key
舒服	shūfu	comfortable
退休	tuìxiū	retirement

1. 看楼人的工作不包括＿＿＿＿＿。

　❶ 清扫楼层和花园　　　　❷ 在花园种花儿

　❸ 处理垃圾　　　　　　　❹ 分发信件

2. 看楼人只需交＿＿＿＿＿。

　❶ 水费　　　❷ 电话费　　　❸ 房费　　　❹ 电费

3. 圣诞节的时候居民们会＿＿＿＿＿。

　❶ 把钥匙交给他　　　　❷ 把他当成朋友

　❸ 让他放一个月的假　　❹ 送他很多礼物

4. 这份工作他会做到退休，因为＿＿＿＿＿。

　❶ 这份工作很舒服　　　❷ 他会讲六国语言

　❸ 他精通电脑　　　　　❹ 居民们对他很好

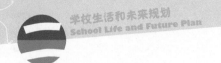

1. 你中学毕业后想去哪儿上大学？为什么？
2. 你想上哪一所大学？为什么？
3. 在大学里，你想学什么？
4. 大学毕业后，你想在哪儿工作？做什么工作？
5. 你父母希望你做什么工作？为什么？
6. 你觉得哪种工作适合你？为什么？
7. 哪些工作赚钱多？
8. 哪些工作比较轻松？
9. 哪些工作有意思？
10. 你做过兼职吗？
11. 你做过暑期工吗？
12. 在学校的工作经验周里你做过什么工作？
    你遇到过什么困难吗？
13. 你一般怎么找暑期工作？

一、填空　Fill in the blanks in Chinese

1. 他年青时做过很多工作，当过售货员、＿＿＿＿＿＿＿、＿＿＿＿＿＿＿、
   ＿＿＿＿＿＿＿、＿＿＿＿＿＿＿和＿＿＿＿＿＿＿。

2. 为了找一份兼职的工作，他给医院、＿＿＿＿＿＿＿、＿＿＿＿＿＿＿、
   ＿＿＿＿＿＿＿和＿＿＿＿＿＿＿打电话，问他们要不要人。

二、翻译　Translation

1. My mom wanted to be an actress when she was young.

2. My grandpa started to work at the age of 14.

3. I don't want to work in my dad's company.

4. A lawyer can earn a lot of money.

5. A nurse needs to work at night.

三、写一写你将来的打算，包括：
Write about your future plan. You should include:

你打算去哪儿上大学？

你准备学什么？

你将来想做什么工作？为什么？

你想在什么地方工作？为什么？

四、续写　Continuous writing

路易叔叔在过去十年一直找不到工作，但是

Listening

一、回答问题　Answer the questions in English

1. How many people does this department store need to hire?

2. Name three requirements.

3. What will be the working hours?

4. How long will these jobs last?

5. How much is the salary?

二、判断正误　True or false

1. 哥哥不知道应该学音乐还是学英语。　☐

2. 爸爸一定要哥哥做律师或银行家。　☐

3. 哥哥没有在大学学音乐。　☐

4. 哥哥现在有一家音乐学校。　☐

购物、饮食和健康
Shopping, Food and Health

第十课 日用品
Daily Essentials

1. 颜色	yánsè	27. 计算器	jìsuànqì
2. 红	hóng	28. 日用品	rìyòngpǐn
3. 黄	huáng	29. 报纸	bàozhǐ
4. 绿	lǜ	30. 杂志	zázhì
5. 蓝	lán	31. 牙刷	yáshuā
6. 紫	zǐ	32. 牙膏	yágāo
7. 橙	chéng	33. 杯子	bēizi
8. 黑	hēi	34. 毛巾	máojīn
9. 白	bái	35. 纸巾	zhǐjīn
10. 灰	huī	36. 手表	shǒubiǎo
11. 棕	zōng	37. 碗	wǎn
12. 彩色	cǎisè	38. 筷子	kuàizi
13. 文具	wénjù	39. 雨伞	yǔsǎn
14. 铅笔	qiānbǐ	40. 钥匙	yàoshi
15. 钢笔	gāngbǐ	41. 刀	dāo
16. 橡皮	xiàngpí	42. 钱包	qiánbāo
17. 尺子	chǐzi	43. 穿着	chuānzhuó
18. 彩色笔	cǎisè bǐ	44. 衣服	yīfu
19. 毛笔	máobǐ	45. 服装	fúzhuāng
20. 本子	běnzi	46. 西装/西服	
21. 纸	zhǐ		xīzhuāng/xīfú
22. 邮票	yóupiào	47. 套装	tàozhuāng
23. 书包	shūbāo	48. 裙子	qúnzi
24. 笔记本	bǐjìběn	49. 长裤/短裤	
25. 日记本	rìjì běn		cháng kù/duǎn kù
26. 字典	zìdiǎn	50. 牛仔裤	niúzǎikù

51. 衬衫	chènshān	58. 围巾	wéijīn
52. 汗衫	hànshān	59. 手套	shǒutào
53. 外套	wàitào	60. 帽子	màozi
54. 运动服	yùndòng fú	61. 皮鞋	píxié
55. 领带	lǐngdài	62. 借	jiè
56. 毛衣	máoyī	63. 还	huán
57. 运动鞋	yùndòng xié		

Reading
Comprehension

NOTES		
必须	bìxū	must
便服	biànfú	casual clothes
慈善	císhàn	charity
机构	jīgòu	organization

一、回答问题 Answer the questions in Chinese

　　　　我们学校七年级到十一年级的学生都必须穿校服上学。我们学校的校服很一般，不好看，但也不难看。夏天，男学生穿蓝格子短袖衬衫、黄色裤子和黑皮鞋。女学生穿蓝格子短袖衬衫、黄色短裙和黑皮鞋。冬天，学生们会在夏天的校服外面穿上毛衣和外套。十二和十三年级的学生不用穿校服上学，他们一般会穿牛仔裤、汗衫和运动鞋上学。每学期都有几天"便服日"，那几天你只要捐一些钱给慈善机构，你就可以穿自己喜欢的衣服去学校。

1. 几年级的学生必须穿校服?

2. 冬天女学生穿什么样的校服?

3. 十三年级的学生喜欢穿什么衣服?

4. 如果有一天大部分学生都不穿校服上学，那天可能会是什么日子?

二、回答问题　Answer the questions in English

各位同学:

　　最近有些同学为了与众不同，穿的校服不合学校的要求。如：有的同学在短袖校服里面穿上长袖汗衫；有的女同学将裙子改成迷你裙；有的男生穿白色球鞋，有的女生穿高跟鞋；还有的同学穿五颜六色的袜子。另外，个别同学还戴帽子上课。我校对同学们穿着校服的要求都写在同学们的日记本的第六页，请各位同学认真阅读。谢谢!

　　　　　　　　　　校长　李雪春
　　　　　　　　　　9月10日

五颜六色　wǔ yán liù sè
colorful

1. Why do some students wear their uniforms inappropriately?

_____

2. Give three examples of students wearing their uniform inappropriately.

_____

3. Where can students find the school rules about school uniform?

_____

三、填空　Fill in the blanks with the words in the box

1. 一_____汗衫　　2. 一_____裙子　　3. 一_____西装

4. 一_____领带　　5. 一_____短裤　　6. 一_____袜子

7. 一_____皮鞋　　8. 一_____运动服　9. 一_____围巾

❶件　　❷条　　❸套　　❹双

四、翻译下列词语　Translate the highlighted conjunction words into English

我的书包很重，里面有很多东西。除了上课用的课本之外，还有文具：计算器、文具盒等。书包里不仅有语言课用的字典、地理课用的地图、戏剧课穿的衣服、体育课穿的运动鞋和运动服，而且还有课间休息时玩儿的篮球。另外我还要带午饭和水。所以每天我出门上学的时候，妈妈都说我好像要去旅行。

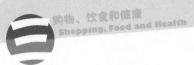
1. 除了……还……

2. 不仅……而且……

3. 另外

4. 所以

五、回答问题　Answer the questions in English

老土　lǎotǔ
to look like a bumpkin

　　我不喜欢穿校服。因为穿上校服每个人看起来都一样，没有个性。而且校服的式样和颜色一般都很老土，使十几岁的人看起来像三十多岁。还有校服穿在身上很不舒服，冬天太冷，夏天太热。如果说舒服，我喜欢汗衫式的校服，适合年轻人；如果说好看，我喜欢日本高中女生的那种水手服。

1. What are the reasons behind the author's dislike for school uniforms?

2. Which type of uniform is best for comfort?

3. Which type of uniform is most pleasing to the eyes?

六、选择 Multiple choice

我妈妈的手袋总是超大型的，里面有香水、钱包、笔、手机、报纸、杂志、糖果、纸巾和钥匙，等等。有时候，她在上公共汽车的时候找不到钱包；有时候电话响了，可是她却找不到手机；回到家时，她却找不到钥匙——因为袋子里的东西太多了。书上说，从一个女人的手袋可以看出她的性格，我妈妈就是这样一个粗心的人。

NOTES

超大　chāo dà **extra large**
响　xiǎng **to ring**

1. 妈妈的手袋是_____。

❶ 小号　　❷ 中号　　❸ 大号　　❹ 特大号

2. 妈妈经常找不到东西，因为_____。

❶ 东西太少　❷ 没有东西　❸ 东西太多　❹ 都不是

3. 妈妈是一个_____的人。

❶ 细心　　❷ 马虎　　❸ 耐心

七、配对 **Match the words on the left to the definitions on the right**

妈妈在少女服装店给我买衣服的同时，也给自己买了不少衣服。不知道是因为售货员会说话，还是店里的灯光不好，或者镜子太少，妈妈买给自己的衣服，一点儿也不合她的年龄——粉红色的背心、有米老鼠的汗衫、有花边的短外套。我想告诉妈妈这些衣服四十多岁的人穿上不好看，可是爸爸说："千万不要说，她会伤心的。爱美是件好事儿，她喜欢什么就穿什么吧。"

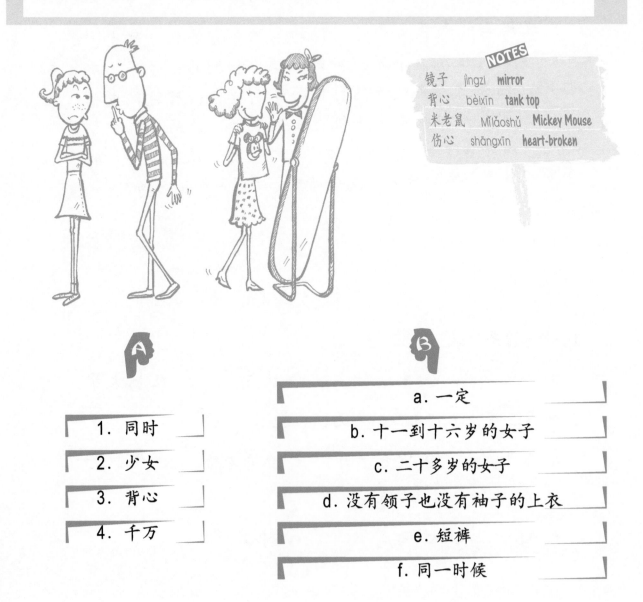

NOTES

镜子	jìngzi	mirror
背心	bèixīn	tank top
米老鼠	Mǐlǎoshǔ	Mickey Mouse
伤心	shāngxīn	heart-broken

A

1. 同时
2. 少女
3. 背心
4. 千万

B

a. 一定

b. 十一到十六岁的女子

c. 二十多岁的女子

d. 没有领子也没有袖子的上衣

e. 短裤

f. 同一时候

1. 你最喜欢什么颜色？你穿的衣服一般都是什么颜色？

2. 你们学校的学生穿校服吗？如果穿的话，穿什么样的校服？

3. 周末和假期你一般喜欢穿什么衣服？

4. 冬天去你居住的地区或城市应该带什么衣服？

5. 今天你书包里有什么？

6. 今天你带文具盒了吗？文具盒里有什么？

一、填空　Fill in the blanks in Chinese

1. 天上的彩虹有七种颜色：红色、＿＿＿＿、＿＿＿＿、＿＿＿＿、＿＿＿＿、
＿＿＿＿和＿＿＿＿。

2. 我的书包里有书、＿＿＿＿、＿＿＿＿、＿＿＿＿、＿＿＿＿、＿＿＿＿
和＿＿＿＿。

3. 妈妈在家庭日用品商店买回来了纸巾、＿＿＿＿、＿＿＿＿、＿＿＿＿
和＿＿＿＿。

4. 王小姐今天穿长袖衬衫、＿＿＿＿、＿＿＿＿和＿＿＿＿。

5. 今天下雪，妈妈出门的时候，戴上了帽子、＿＿＿＿和＿＿＿＿。

二、翻译 Translation

1. You are not allowed to wear shoes in the gym.

2. The woman wearing a scarf is my teacher.

3. You need to bring with you a swimming suit.

4. It is not allowed to bring a calculator with you.

5. Put your umbrella outside, please.

三、写一个通知给九年级的学生，告诉他们：
Write a notice to Year 9 students. You should include:

考试的时间

考试的地点

所带文具

四、设计一套你觉得好看的校服，包括：

Design a school uniform which is fashionable to you. You should include:

男女校服
的颜色

男女校服
的式样

价钱

五、续写　Continuous writing

我的同学大卫今天穿着睡衣来上学

六、读一读，写一写
Read the following text and state your own opinion

照片中的两个男女同学都十五岁，他们穿上了自己最喜欢的衣服。下面是同学、老师和服装设计师对他们衣服的看法。

同学：帽子好难看，现在也不流行瘦裤腿儿了。我觉得应该穿宽一点儿的牛仔裤。

同学：很不错，裤子看起来很时髦，运动服使他看起来很阳光。

老师：很不错！蓝色帽子加蓝色牛仔裤，白色上衣，很会配颜色。

老师：不错，只是裤子好像肥了点儿，会不会走路不方便？

服装设计师：挺好的，不过上衣肥大了些，裤子的式样也很一般。这个女孩皮肤较黑，穿黄色会比穿白色好看。

服装设计师：很好，这个男孩儿一定经常看时装杂志。不过头发和衣服不配。头发应该短一些，再用一点儿发胶。

请写一写你对他们的衣服的看法。

Listening

一、填表　Fill in the form in Chinese

七 年 级
露 营 通 知

时间	
目的地	
所需日用品	
所需衣服	
不可以带	

二、回答问题　Answer the questions in Chinese

1. 王东在哪儿丢了他的书包?

2. 书包是什么颜色的?

3. 书包里有什么?

4. 如果你知道他的书包在哪儿，应该告诉谁?

第十一课　购物　Shopping

常用字词
Useful Words

1. 购物　gòuwù	20. 支票　zhīpiào
2. 商场　shāngchǎng	21. 信用卡　xìnyòngkǎ
3. 街市　jiēshì	22. 付钱　fù qián
6. 百货商店	23. 贵　guì
bǎihuò shāngdiàn	26. 便宜　piányi
5. 小摊儿　xiǎotānr	25. 新　xīn
6. 美元　měiyuán	26. 旧　jiù
7. 英镑　yīngbàng	27. 坏　huài
8. 欧元　ōuyuán	28. 礼物　lǐwù
9. 日元　rìyuán	29. 合适　héshì
10. 港币　gǎngbì	30. 尺寸/尺码
11. 人民币　rénmínbì	chǐcùn/chǐmǎ
12. 块/元　kuài/yuán	31. 许多　xǔduō
13. 毛/角　máo/jiǎo	32. 退　tuì
16. 分　fēn	33. 换　huàn
15. 花　huā	36. 式样　shìyàng
16. 费用　fèiyong	35. 打折　dǎzhé
17. 零用钱　língyòng qián	36. 减价　jiǎnjià
18. 零钱　língqián	37. 要价　yàojià
19. 现金　xiànjīn	38. 还价　huánjià

一、**回答问题** *Answer the questions in Chinese*

年轻的妈妈们在超市一定会经历过以下的事情：你正在购物，可是你的小宝宝却坐在购物车里大哭，想出来。当你把他们从车里放出来，他们却跑来跑去，拿一些不该拿的东西，让你很头痛。现在，如果你来万美超市，就不用担心你的宝宝了。因为万美超市最近有了新型购物车，车外表像玩具车，红红绿绿的很受小朋友的欢迎；车里边，有一个小电视，可以播放最新的卡通片，宝宝们一坐上去就不想下来了。租这种购物车只要五元钱。从此以后，你可以慢慢地挑你想要的东西，宝宝也可以开心地看卡通，购物成了一件一家大小都开心的事儿了。

NOTES		
新型	xīnxíng	new type
外表	wàibiǎo	appearance
玩具	wánjù	toy
卡通片	kǎtōng piàn	cartoon
慢	màn	slow
挑	tiāo	to choose

❓1. 在超市里小宝宝们一般会有什么表现？

❓2. 在万美超市里新型购物车的外表是怎样的？

❓3. 小宝宝们在车里面可以做什么？

❓4. 租车的租金是多少？

❓5. 这种新型的购物车对购物有什么影响？

二、回答问题　Answer the questions in Chinese

上个星期六，我同姐姐去太古广场给爸爸买生日礼物。我们去太古广场买东西，因为那儿离我们家很近，只要走五分钟就到了。

太古广场有很多大商店，我们逛了很长时间，也没有找到合适的礼物。前几年我们已经送过皮带、领带和钱包，所以今年选礼物就特别难。最后我们在体育用品店里买了一件湖人队的球衣，因为：第一，爸爸是湖人队的球迷；第二，我们希望爸爸能在周末多参加一些体育活动，不要越来越胖。这件球衣很贵，虽然打了八五折，还是花了我和姐姐一个月的零用钱。不过，买到满意的礼物，我们都很开心。

NOTES

皮带　pídài　belt
领带　lǐngdài　tie
湖　hú　lake
折　zhé　discount
满意　mǎnyì　satisfactory

?1. 她们是怎么去太古广场的？

_____

?2. 前几年她们给爸爸送过什么礼物？

_____

?3. 她们最后在哪个店买到了生日礼物？

_____

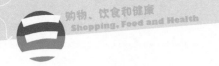
4. 她们为什么送球衣给爸爸？

5. 这件球衣便宜吗？

三、回答问题　Answer the questions in English

　　美琴在广州是一家公司的经理。星期六一早，她从广州东站坐直通车来到香港，开始了她一天的购物。她先去了金钟的太古广场买了两个名牌手袋；然后又去了中环，买了口红和洗面奶等。很快地用完午餐，她又去九龙买了运动鞋和汗衫。此外，她还帮朋友买了一个最新上市的数码相机。天黑之前，美琴坐上直通车返回广州。

　　每天都有成千上万像美琴一样的内地游客来到香港，他们的主要目的就是购物。在香港，他们可以用比较低的价钱买到世界各国的名牌产品。另外，对来自欧美及世界各地的其他游客来说，在香港不仅可以买到便宜的名牌产品，还可以买到来自中国内地的商品，如服装、电器等。还有，香港交通方便，差不多人人都会讲英语，因此在这里购物非常方便，香港被称为"购物天堂"。

NOTES		
直通车	zhí tōng chē	through train
名牌	míngpái	famous brand
数码	shùmǎ	digital
相机	xiàngjī	camera
产品	chǎnpǐn	product
商品	shāngpǐn	product

1. When did Mei Qin start her trip to Hong Kong?

2. How many days did Mei Qin stay in Hong Kong?

3. Where was Mei Qin from?

4. Did Mei Qin buy a digital camera for herself?

5. Name three things that Mei Qin bought in Hong Kong.

6. Why is Hong Kong a shopping paradise?

四、判断正误 True or false

亲爱的爸爸：

您好！

便条 biàntiáo *note*

因为不好意思当面同您说，所以我只好写这个便条给您。我生我自己的气，我怎么可以又向您要钱？想起您和妈妈以前和我讲的话，我真想打我自己。可是我这个月的零用钱又花完了，我还向我的朋友借了两百块。今天晚上有一场音乐会，我最喜欢的歌星从美国来演出。我的朋友都去，票价四百块，我请求你们借给我，这一个月的家务，如洗碗、剪草、吸尘等都可以让我来干。最后一次好吗？

大卫

11月16日

125

1 ▶ 这是大卫第一次向父母要钱。　　☐

2 ▶ 大卫的零用钱总是不够。　　☐

3 ▶ 他已经向朋友借了2000块了。　　☐

4 ▶ 他要钱是为了同朋友一起去看比赛。　　☐

5 ▶ 大卫说这是他最后一次向父母借钱了。　　☐

五、多项选择　Multiple choice

换　huàn　to exchange

李小姐：你好！我想换20英镑的人民币。

店　员：今天1英镑可以换15元人民币，所以20英镑
　　　　可以换300元人民币。

硬币　yìngbì　coin

李小姐：好吧。这里有20英镑的硬币。

店　员：对不起，我们只换纸币，不换硬币。

李小姐：没关系，我这儿有50英镑的纸币，你能找开吗？

店　员：可以。

李小姐：谢谢！

1.李小姐在_____。

　❶ 兑换店　　　❷ 便利店　　　❸ 邮局　　　❹ 报摊

2.李小姐想要_____。

　❶ 五十英镑　　　　　　　❷ 五十元人民币

　❸ 二十英镑的硬币　　　　❹ 二十英镑的人民币

3.店员说他们不可以_____。

　❶ 找开五十英镑　　　　　❷ 兑换二十英镑的纸币

　❸ 兑换二十英镑的硬币　　❹ 找开二十英镑

4.今天二十英镑可以兑换_____。

　❶ 三百元人民币　　　　　❷ 十五块人民币

　❸ 五十块人民币　　　　　❹ 三百元港币

六、填空 Fill in the blanks with the words in the box

百科全书 bǎikē quánshū encyclopedia

我上个月在网上看到一个 _____："最新百科全书，_____ 五本，送礼、_____ 都可以。只卖二百五十块钱！"平时这样的书最少也要八百块。想到下星期，我的好朋友过 _____，百科全书做礼物挺不错。谁想到，交完钱后，三个 _____ 书才到，我朋友的生日早过了。而且这套书是五年前出的，纸都黄了。_____，第三本少了十页；第四本上还写上了很多字。我非常 _____，想找卖家，可是在网上却找不到了。唉，便宜没好货！

| ❶自用 | ❷生日 | ❸星期 | ❹生气 | ❺广告 | ❻一套 | ❼还有 |

七、配对 Match the words on the left to the definitions on the right

我叫乔治（George），我很爱我的太太玛丽（Mary），但是我最怕和她一起去买东西，因为她太喜欢讲价了。

一天，玛丽在一家小服装店里看中了一条裙子，店员要五十块，玛丽只给二十块。我去其他店走走，半个小时回来，他们还在讲价！当然，双方的价钱已经很近了，一个要四十，一个要三十，还差十块。我去了旁边的咖啡馆喝了一杯咖啡，回来时两个人还在讲价，而且买价和卖价只差五块钱了！天哪，还要等多长时间？我偷偷地给了店员五块钱，店员马上对玛丽作出让步。玛丽开心地交了钱，一脸笑容地离开了服装店。

偷偷 tōutōu secretly

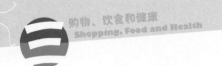

A　　　　　　　　　　**B**

1. 店员	a. 同意对方的要求
2. 看中	b. 做某件事不让人看到
3. 偷偷地	c. 脸上笑的表情
4. 让步	d. 售货员
5. 笑容	e. 店主
	f. 喜欢

口语
Oral

1. 你喜欢去哪儿买东西？

2. 你最喜欢的商店是哪一家？为什么？

3. 你上周末去买东西了吗？买了什么东西？花了多少钱？

4. 你一般和谁一起去买东西？

5. 在你的城市，青年人一般喜欢去哪儿买东西？

6. 你每月的零花钱有多少？

7. 你用零花钱买什么？

8. 如果你的零花钱不够怎么办？

9. 如果你每个月的零用钱花不完怎么办？

10. 你会把多余的钱存在银行吗？将来拿这些钱做什么？

一、填空　Fill in the blanks in Chinese

1. 爷爷喜欢收集钱币，他有英镑、_____、_____、_____

   和 _____。

2. 为了买到满意的礼物，我们去了小摊儿、_____、_____

   和 _____。

二、翻译　Translation

1. My mom goes to the supermarket to buy the daily essentials.

2. This sweater is half price.

3. I don't know if I should buy this mobile or not.

4. This skirt is not worth one thousand dollars.

5. It is too expensive.

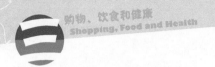
三、写一次你购物的经历，包括：

Describe a recent shopping experience. You should include:

你去哪儿
买东西？

你和谁一
起去的？

你买了什
么东西？

你总共花了
多少钱？

你喜欢自己
买的东西吗？
为什么？

四、续写 Continuous writing

我在网上看到一把电吉他（electric guitar），很便宜，可是

一、填表 **Fill in the form in Chinese**

货品	楼层
电冰箱	
玩具	
西装	
洗发水	
桌子	

二、回答问题 **Answer the questions in Chinese**

1. 这个对话发生在什么地方？

2. 售货员第二次的要价是多少？

3. 顾客的还价是多少？

4. 这个皮包是什么皮的？

第十二课　饮　食
Food and Beverages

常用实词
Useful Words

1. 食品／食物　shípǐn／shíwù
2. 早饭／早餐　zǎofàn／zǎocān
3. 午饭／午餐　wǔfàn／wǔcān
4. 晚饭／晚餐　wǎnfàn／wǎncān
5. 快餐　kuàicān
6. 中餐　zhōngcān
7. 面条　miàntiáo
8. 饺子　jiǎozi
9. 春卷　chūnjuǎn
10. 北京烤鸭　Běijīng kǎoyā
11. 点心　diǎnxin
12. 西餐　xīcān
13. 三明治　sānmíngzhì
14. 热狗　règǒu
15. 意大利面　Yìdàlì miàn
16. 牛排　niúpái
17. 面包　miànbāo
18. 蛋糕　dàngāo
19. 布丁　bùdīng

20. 大米　dàmǐ
21. 面粉　miànfěn
22. 汤　tāng
23. 零食　língshí
24. 巧克力　qiǎokèlì
25. 曲奇　qūqí
26. 糖果　tángguǒ
27. 薯片　shǔpiàn
28. 吃饭　chīfàn
29. 外卖　wàimài
30. 菜单　càidān
31. 好吃　hǎo chī
32. 难吃　nán chī
33. 饿　è
34. 饱　bǎo
35. 猪肉　zhū ròu
36. 牛肉　niú ròu
37. 羊肉　yáng ròu
38. 鸡肉　jī ròu
39. 海鲜　hǎi xiān
40. 鱼　yú
41. 虾　xiā
42. 鸡蛋　jīdàn
43. 豆腐　dòufu

44. 蔬菜　shūcài
45. 青菜　qīngcài
46. 黄瓜　huángguā
47. 南瓜　nánguā
48. 土豆　tǔdòu
49. 西红柿　xīhóngshì
50. 水果　shuǐguǒ
51. 苹果　píngguǒ
52. 李子　lǐzi

53. 香蕉　xiāngjiāo
54. 梨　lí
55. 西瓜　xīguā
56. 饮料　yǐnliào
57. 果汁(儿)　guǒzhīr
58. 橙汁(儿)　chéngzhīr
59. 红茶／绿茶
　　　hóngchá／lǜchá
60. 可乐　kělè

Reading Comprehension

一、填空　Fill in the blanks with the words in the box

我是英国人，在家我们吃西餐。上个星期六是妈妈的生日，所以我们准备去吃＿＿＿＿＿。我们星期三就打电话到大上海饭店订位。这家饭店的菜很＿＿＿＿＿，又不贵，＿＿＿＿也不错。

我们点了北京烤鸭、饺子和红烧鱼。听服务员说过生日一定要吃＿＿＿＿＿，所以我们还要了牛肉面。我们喝了啤酒、可乐、＿＿＿＿和果汁。＿＿＿＿花了八十英镑。饭店还送了一个蛋糕和三个幸运曲奇。妈妈的曲奇纸条儿上写着她今年身体好，工作也好。妈妈很开心。

> NOTES
> 订位　dìng wèi　to book a table
> 红烧鱼　hóngshāo yú
> 　　　fish braised in soy sauce
> 啤酒　píjiǔ　beer

❶ 一共　❷ 面条　❸ 服务　❹ 茶　❺ 中餐　❻ 好吃

二、回答问题　Answer the questions in Chinese

上个星期六是母亲节，妈妈和我去了意华西餐厅吃晚饭。

餐厅的服务员很热情，给了我们一张靠窗口的桌子，坐在那儿看得到海景。餐厅的环境很好，还有歌手在唱歌。妈妈点了蔬菜沙拉、海鲜汤，主菜是牛排。我点的和妈妈的差不多，只是把前菜改成了龙虾沙拉。妈妈点了水果布丁做甜品，我吃了巧克力蛋糕。当服务员把我事先买的花儿送给妈妈的时候，她开心得哭了起来。

NOTES

沙拉	shālā	salad
主菜	zhǔ cài	main course
前菜	qián cái	appetizer
甜品	tiánpǐn	desert
事先	shìxiān	in advance

1. 作者为什么和妈妈去吃饭？

_____

2. 作者和妈妈坐在餐厅里什么地方？

_____

3. 作者吃了什么？

_____

4. 妈妈为什么哭了？

_____

三、回答问题　Answer the questions in English

大快活饭店午餐菜单

套餐一

意大利面

玉米汤

咖啡

火腿　huǒtuǐ
ham

套餐二

火腿三明治

龙虾汤

红茶

套餐三

五香牛肉

海鲜炒面

绿茶

五香　wǔxiāng
five spices

套餐㈣

豆腐炒青菜

米饭

果汁

1. Which set meal do you choose if you want noodles?

2. Which set meal includes soup?

3. Which set meal is Western food?

4. Which set meal includes Chinese tea?

5. If your friend is a vegetarian, which set meal can she choose?

四、填表　Fill in the form with the words given

四季豆　苹果　南瓜　李子　青菜　黄瓜　梨

卷心菜　西瓜　生菜　香蕉　菜花　大白菜　草莓

胡萝卜　葡萄　土豆　橙子　桃子　西红柿　玉米

紫色的水果	
红色的水果	
绿色的蔬菜	
黄色的蔬菜	
橙色的蔬菜	

五、填空　Fill in the blanks in Chinese

大卫和一个朋友进了一家饭店，打算吃点儿东西。

主 食	
米饭	2元/碗
包子	2元/个
饺子	28元/斤
馒头	1元/个
蛋炒饭	8元
牛肉面	10元

汤	
鸡汤	22元
蛋花汤	15元
海鲜汤	28元
西红柿汤	12元

炒 菜	
红烧鱼	28元
炒鸡蛋	12元
炒青菜	10元
炒土豆丝	12元
五香牛肉	18元
家常豆腐	16元

饮 品	
花茶	8元/杯
豆浆	4元/杯
可乐	10元/瓶
橙汁	10元/瓶

服务员：两位好！_____?

大　卫：_____。我们想要一条_____、一盘_____。
　　　　你们有什么蔬菜?

服务员：有，你可以叫_____和_____。

大　卫：两个都要。对了，再来两碗鸡汤。

服务员：我们的鸡汤分量很大，你们_____。

大　卫：好吧。今天天冷，你们_____?

服务员：你可以点热豆浆或_____。

大　卫：我们不会用筷子，你们_____?

服务员：没问题，我会给你们准备的。你们还没有叫主食。

大　卫：我们要_____。

主食　zhǔshí
staple food

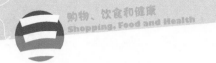

六、 回答问题 *Answer the questions in English*

我们学校的食堂中午有很多人。那些十三年级的女孩子坐在食堂最前面的桌子旁，她们吃得最少，有的只吃一点儿水果或酸奶。学校的篮球队、游泳队队员们坐在食堂的左面，他们吃得最多，经常是大鱼大肉，总是一边吃、一边高声说笑。还有一些七年级的学生们拿着食物跑来跑去。每次我去食堂都不知道坐在什么地方。

1. Who usually sit at the front seats of the canteen? What do they usually eat?

_____

2. Which group of students usually eats the most?

_____

3. How do Year 7 students usually behave inside the canteen?

_____

七、回答问题 Answer the questions in Chinese

薯条 shǔtiáo
fries

　　我们家最常去的快餐店是麦当劳，因为不用等，价钱便宜，服务也不错。每次我都会点鸡块和薯条，还会要一大杯可口可乐。妈妈总是说那儿的食物不健康——油多、菜少，可是我就是喜欢，妈妈只好每次给我们多点一个沙拉。弟弟也喜欢麦当劳，因为他可以点儿童套餐，他最喜欢套餐里的玩具。

1. 作者全家为什么喜欢去麦当劳？
_____

2. 妈妈为什么觉得麦当劳的食物不健康？
_____

3. 妈妈为什么要点沙拉？
_____

4. 弟弟为什么喜欢儿童套餐？
_____

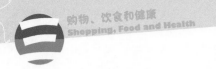
八、多项选择　*Multiple choice*

老师：你在家吃西餐还是中餐？

学生：一半中餐，一半西餐。因为我爸爸是中国人，我妈妈是法国人。

老师：你喜欢吃哪种饭？

学生：都喜欢。我喜欢吃法国的面包，也喜欢吃中国的饺子。

老师：你们家一般去什么餐厅吃饭？

学生：过节时我们去中餐厅，特别是和爷爷、奶奶在一起的时候，大家有说有笑，叫一桌子菜，很热闹。过生日或同女朋友在一起的时候，我喜欢去西餐厅，因为那里有鲜花、音乐、灯光，环境优美。

老师：你喜欢分餐还是合餐？

学生：很难说。分餐很卫生，合餐每样菜都可以吃一点儿。

> **NOTES**
> 分餐　fēncān　meals served individually
> 合餐　hé cān　to share from common dishes
> 卫生　wèishēng　hygiene

1. 这个学生中西餐都吃，因为他是_____。

   ❶ 混血儿　　❷ 巴西人　　❸ 北方人　　❹ 小孩儿

2. 过节时，这个学生喜欢去中餐厅，不是因为那儿_____。

   ❶ 菜多　　❷ 很多人　　❸ 热闹　　❹ 便宜

3. 西餐厅的环境好，因为有_____。

   ❶ 鲜鱼　　❷ 鲜花　　❸ 鲜果　　❹ 海鲜

4. 分餐时，只能吃_____。

   ❶ 自己盘子里的饭菜　　　　❷ 别人盘子里的

   ❸ 头盘　　　　　　　　　　❹ 水果盘

九、重新排列句子　Put the paragraphs in the right order

a. Jamie和他的中学同学结婚了，有两个女儿。他还时常为家人做饭，他不仅是一个好厨师，还是一个好爸爸和好丈夫。☐

b. Jamie Oliver的父母开了一个餐馆，他七八岁开始就在餐馆帮忙，十几岁就开始做菜了。他虽然也喜欢游泳、钓鱼，但是做菜才是他的最爱。他用周末打工赚的钱去买运动鞋。 1

c. 出名后，他还开了一家叫"十五"的餐厅，帮助那些十六到二十四岁的年轻人，教他们做饭。☐

d. Jamie一下子红了，他成了名人，他还出了几本书。他说他不喜欢他的电视节目的名字，因为他怕奶奶以为他当了成人电影的主角。☐

e. 他还为英国中小学设计菜单，因为他发现英国的学校食堂的饭菜很多都是薯条、汉堡包等垃圾食品。他告诉学生们应该多吃蔬菜和水果，这样身体才健康。☐

f. 中学毕业的时候，他只有两个科目及格，他去了伦敦一家厨师学校。后来，他在伦敦的一家有名的餐馆找到了工作。BBC采访这家饭店，发现了他，希望他主持电视节目，当时，Jamie以为他的朋友同他开玩笑。☐

采访　cǎifǎng　to interview

口语
Oral

1. 你常吃水果吗？你喜欢吃什么水果？

2. 你常吃蔬菜吗？你喜欢吃什么蔬菜？你不喜欢什么蔬菜？

3. 你喜欢喝什么饮料？

4. 你们家常常去哪儿买菜？你们家一般谁买菜？

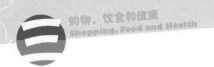

5. 你喜欢吃零食吗？你常吃哪些零食？

6. 你午饭一般吃什么？你是带饭去学校还是在学校买饭吃？

7. 你们家一般谁做饭？你帮忙吗？

8. 你们家经常去饭店吃饭吗？去哪一家饭店吃饭？为什么？

9. 你喜欢吃中餐还是西餐？为什么？

10. 你喜欢吃快餐吗？你一般去哪个快餐店？你吃些什么？

写作
Writing

一、填空　Fill in the blanks in Chinese

1. 水果沙拉里有苹果、＿＿＿＿＿、＿＿＿＿＿、＿＿＿＿＿和＿＿＿＿＿。

2. 妈妈在街市里买回很多蔬菜，包括西红柿、＿＿＿＿＿、＿＿＿＿＿、
＿＿＿＿＿和＿＿＿＿＿。

3. 超市里有各种各样的肉，有牛肉、＿＿＿＿＿、＿＿＿＿＿和＿＿＿＿＿。

4. 学校小卖部卖的饮料有可乐、＿＿＿＿＿、＿＿＿＿＿、
和＿＿＿＿＿。

5. 今天我们去中国城吃中餐，有春卷、＿＿＿＿＿、＿＿＿＿＿、
和＿＿＿＿＿。

6. 这家西餐厅最有名的菜式有牛排、＿＿＿＿＿、＿＿＿＿＿、
和＿＿＿＿＿。

7. 今天的客人有中国人，也有外国人，所以桌子上放着的餐具有刀子、
＿＿＿＿＿、＿＿＿＿＿和＿＿＿＿＿。

8. 妹妹的书包里总是有零食，如：薯片、＿＿＿＿＿、＿＿＿＿＿等。

二、翻译 Translation

1. Do you have a set meal for three?

2. I want to order the food now.

3. I'd like to have a cup of tea.

4. Dinner starts at 7:00 pm.

5. You should eat your breakfast before going to school.

三、记一次去饭店吃饭的经历，包括：
Describe a recent experience in a restaurant. You should include:

你们是什么时候去饭店吃饭的？

你们去了哪家饭店？那家饭店有什么特别？

你们吃了什么？喝了什么？

你们一共花了多少钱？

那天的饭菜做得怎么样？

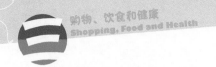

四、写一封电子邮件（三十字左右），在小南国饭店订位，包括：

Write an e-mail of about 30 characters to book a table at Xiaonanguo Restaurant.
You should include:

时间

人数

其他
要求

五、续写　Continuous writing

今天，我们在酒店吃饭的时候，爸爸在汤里发现了

六、读一读，写一写　Read the following text and state your own opinion

我是大卫，我觉得美子的妈妈最好。她每天都给美子做午餐，午餐盒里有沙拉、面条和汤，又可口，又健康。每次我们去她家，美子妈妈都为我们准备蛋糕、三明治和水果。我妈妈工作很忙，她很少为我准备午餐。学校食堂的饭菜又贵又不好吃，我想吃家里的饭菜。

我是美子，我觉得大卫的妈妈才是好妈妈。她一个星期给大卫一笔钱，大卫有时去食堂买盒饭，有时会带零食来学校，想吃什么就吃什么。每次去大卫家，我们可以叫外卖——热狗、薯条和汽水；我妈妈一定不会让我吃这些的。我不喜欢带饭去学校，书包本来就有很多东西，再加上饭盒，很不方便。

从家里带饭的好处	在学校买饭的好处

听力 Listening

一、 问答问题 **Answer the questions in English**

1. Where will the competition be held?

2. What kind of competition is it?

3. What is the prize for first place?

4. How do you register for the competition?

二、 问答问题 **Answer the questions in Chinese**

1. 这家饭店卖什么饭？

2. 这家饭店周末营业时间是几点到几点？

3. 晚餐有没有水果？

4. 十岁以下儿童多少钱？

LESSON 13

第十三课　　健康　Health

常用字词
Useful Words

1. 头　tóu
2. 上身　shàngshēn
3. 下身　xiàshēn
4. 手　shǒu
5. 手指头　shǒuzhǐtou
6. 腿　tuǐ
7. 脚　jiǎo
8. 肚子　dùzi
9. 胃　wèi
10. 背　bèi
11. 生病　shēngbìng
12. 不舒服　bù shūfu
13. 感冒　gǎnmào
14. 发烧　fāshāo
15. 头痛　tóutòng
16. 咳嗽　késou
17. 牙疼　yáténg
18. 嗓子疼　sǎngzi téng
19. 拉肚子　lā dùzi

20. 量体温　liáng tǐwēn
21. 体重　tǐzhòng
22. 开刀　kāidāo
23. 动手术　dòng shǒushù
24. 打针　dǎzhēn
25. 住院/出院
　　　zhùyuàn/chūyuàn
26. 急诊　jízhěn
27. 吃药　chī yào
28. 止痛药片
　　　zhǐtòng yàopiàn
29. 止咳药水
　　　zhǐké yàoshuǐ
30. 药膏　yàogāo
31. 病假条　bìngjià tiáo
32. 请病假　qǐng bìngjià
33. 养病　yǎngbìng
34. 康复　kāngfù

一、回答问题 Answer the questions in Chinese

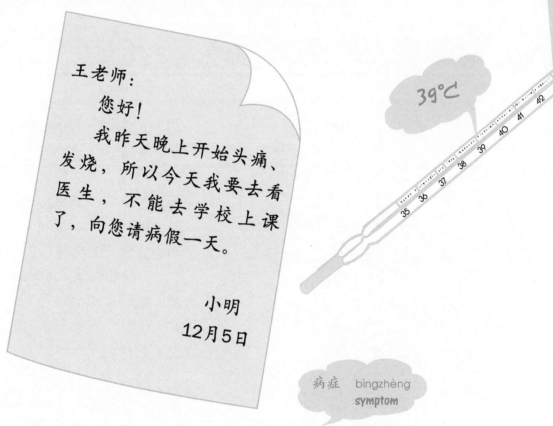

王老师：

您好！

我昨天晚上开始头痛、发烧，所以今天我要去看医生，不能去学校上课了，向您请病假一天。

小明
12月5日

39℃

病症 bìngzhèng
symptom

? 1. 小明什么时候开始不舒服的?

_____

? 2. 他有什么病症?

_____

? 3. 他今天要去做什么?

_____

? 4. 他请几天假?

_____

二、填空　Fill in the blanks with the words in the box

水痘　shuǐdòu
chicken pox

闷　mēn　boring

亲爱的小东：

　　你好！

　　你的病好一点儿了吗？现在＿＿＿怎么样？还＿＿＿吗？我去年也得了水痘，在家待了两个星期，虽然有点儿闷，不过可以在家好好儿休息，也挺＿＿＿的。

　　我们刚考完数学，＿＿＿要考英文，美术作业下星期交。太忙了，真＿＿＿和你一样，＿＿＿在家。你知道这些，会不会偷着笑？有什么需要我们＿＿＿的，给我们打电话。

　　祝你
早日＿＿＿！

王林

12月10日

❶ 帮忙　　❷ 发烧　　❸ 不错　　❹ 感觉
❺ 希望　　❻ 生病　　❼ 后天　　❽ 康复

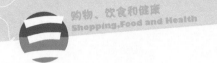
三、回答问题 **Answer the questions in English**

爷爷今年八十多岁了，但是他身体可好了，从来不生病。他每天早睡早起，早上去公园打太极拳，晚上散步半个小时。他常说："饭后百步走，能活九十九。" 他还说要多吃菜、少吃肉，不抽烟、不喝酒才健康。去年冬天，他参加了冬泳比赛，还拿了三等奖。

NOTES

太极拳	tàijíquán	tai chi
散步	sànbù	to take a walk
抽烟	chōu yān	to smoke
喝酒	hē jiǔ	to drink alcohol
冬泳	dōngyǒng	winter swimming

1. How is Grandpa's health condition?

2. What are the secrets of Grandpa's robust health?

3. What does Grandpa avoid?

4. Which competition did Grandpa take part in?

四、回答问题　Answer the questions in Chinese

　　　　父母离婚后，我们和妈妈住，爸爸很少来看我们。可是这一个月，爸爸得天天来，因为妈妈病得很重，住进了医院。在做手术的前一天，妈妈偷偷地从医院跑回来，爸爸不在。妈妈包饺子给我和弟弟吃，我和弟弟第一次学做饺子，很开心，还给爸爸留了一碗。爸爸回来了，他说他不吃病人做的饭，就把饺子都倒进垃圾桶里了。妈妈的脸白了，弟弟哭着从垃圾中拿起饺子放进嘴里。第二天，妈妈没能活着从手术室出来。每当我吃饺子的时候，都会想起妈妈。

1. 为什么作者不和爸爸住在一起？

2. 为什么这个月爸爸每天来看作者和弟弟？

3. 哪一天妈妈回家给作者包饺子？

4. 弟弟为什么哭？

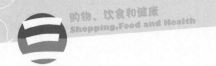
五、选择 Multiple choice

现在，我们每天工作、学习和娱乐都离不开电脑。长时间使用电脑不仅对视力不好，还会造成头痛、手痛、背痛等病症。因此，医生建议用电脑超过半个小时，就要休息一下，在房间里走一走，看看窗外远处的景物，做做体操。

NOTES
娱乐 yúlè entertainment
视力 shìlì sight
景物 jǐngwù scenery

1. 下面哪种活动不是娱乐活动？

❶ 玩儿游戏   ❷ 听音乐   ❸ 网上交水费   ❹ 看电影

2. 用电脑多长时间需要休息？

❶ 一个小时   ❷ 一刻钟   ❸ 一个半小时   ❹ 三十分钟

3. 如果你每天用很长时间电脑，你可能就需要_____。

❶ 戴眼镜   ❷ 戴领带   ❸ 戴墨镜   ❹ 戴帽子

六、回答问题 Answer the questions in Chinese

NOTES
流行性 liúxíngxing epidemic
便 biàn urine or stool
预防 yùfáng to prevent

各位同学：

最近我校有很多学生得了流行性感冒。他们发烧、咳嗽，有的还拉肚子，所以同学们要注意个人卫生：饭前、便后要洗手，多喝水。如果不舒服就应该去看医生，或留在家里休息。预防流行性感冒的网址是www.flu.com.cn。

校长 本·路易士
3月20日

❓1. 流行性感冒的病症是什么？

❓2. 怎样注意个人卫生？

❓3. 如果不舒服应该怎么办？

❓4. 学生可以看哪个网址？

七、回答问题 Answer the questions in Chinese

姓名：__张元__　　年龄：__10岁__　　性别：__男__　日期：__12月9日__

病症：

　　重感冒，发烧40度，嗓子红肿。

治疗方法：

- 退烧针一支。
- 退烧药片每六小时一次，每次一片儿，饭前吃。

　（12岁以下儿童减半）

- 儿童止咳药水每四小时一次，一次一格，饭后吃。
- 喉糖每四小时一次，每次一片儿，饭后吃。

医生建议：

　　卧床休息两天，病假条一张。

NOTES

年龄	niánlíng	age
红肿	hóng zhǒng	red and swollen
卧床	wòchuáng	to stay in bed

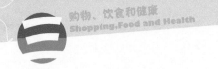

1. 张元得了什么病?

_____

2. 他有哪些病症?

_____

3. 他一次吃几片儿退烧药?

_____

4. 喉糖什么时候吃?

_____

5. 医生给他开了几天病假?

_____

八、回答问题 *Answer the questions in English*

八岁的英国男孩儿康纳(Connor)和妈妈住在一起。他的体重有八十九公斤，是他的同龄人的三倍。因为太重，他用坏了四张床、五辆自行车。他不能穿校服上学，经常被同学笑。就是走五分钟路，他都要坐下休息几次，所以他已经好几个星期没有上课了。他从小就吃得多，非常喜欢吃零食，每天吃四包薯片。现在由警察、学校、医生等组成的小组，要求他的家人关心康纳的饮食和健康。

1. Why do some students in Connor's school laugh at him?

2. Why didn't he go to school recently?

3. Why is he so fat?

4. Who are involved in a committee which ordered Connor's family to control his weight problem?

口语
Oral

1. 你最近身体好吗?

2. 你最近生过病吗? 生过什么病?

3. 你经常感冒吗? 你感冒时会去看医生吗?

4. 你吃过中药吗?

5. 你看过中医吗?

6. 你住过医院吗?

7. 你认为怎样才能做到身体好?

写作 Writing

一、填空 **Fill in the blanks in Chinese**

1. 人体的各部位包括：头、＿＿＿＿＿、＿＿＿＿＿、＿＿＿＿＿、
＿＿＿＿＿等。

2. 得重感冒的时候，你会感到头痛、＿＿＿＿＿、＿＿＿＿＿和＿＿＿＿＿。

3. 医生给我开了很多药，包括退烧药、＿＿＿＿＿和＿＿＿＿＿。

二、翻译 **Translation**

1. I had a fever yesterday.

   ⌐＿＿＿＿＿＿＿＿＿＿＿＿＿＿＿＿＿＿＿＿

2. You need to take this medicine 3 times a day.

   ⌐＿＿＿＿＿＿＿＿＿＿＿＿＿＿＿＿＿＿＿＿

3. It is healthy to eat more vegetables.

   ⌐＿＿＿＿＿＿＿＿＿＿＿＿＿＿＿＿＿＿＿＿

4. Drink plenty of water.

   ⌐＿＿＿＿＿＿＿＿＿＿＿＿＿＿＿＿＿＿＿＿

5. Don't eat crisps in excess.

   ⌐＿＿＿＿＿＿＿＿＿＿＿＿＿＿＿＿＿＿＿＿

三、写一写你最近一次生病的经历，包括：

Describe the details of your most recent illness. You should include:

你什么时候觉得不舒服，哪儿不舒服？

你有没有去看医生，吃了什么药？

你有没有住院？

你在家里都做了些什么？

四、病假条　Sick-leave note

你的弟弟这两天一直拉肚子，请你帮他给他的老师写一个病假条。

五、续写　Continuous writing

小林今天早上不起床，他说他不舒服，可是 ....

....

....

....

....

....

一、填空　Fill in the blanks in Chinese

医生：你好！＿＿＿说你有＿＿＿度九的低烧。还有哪里

　　　不舒服？

病人：我全＿＿＿酸痛，嗓子特别疼。

医生：张开＿＿＿让我看一下。

病人：啊……

医生：喉咙＿＿＿了，我想你是感冒了。

病人：严重吗？

医生：没有什么大问题。我给你开点儿＿＿＿，再给你开一天的

　　　病假条。回家多喝＿＿＿，多休息。

病人：我还用＿＿＿吗？

医生：不发烧就不用了。

二、问答问题　**Answer the questions in Chinese**

1. 这个地方在哪儿？

2. 这个地方人们活得长的原因是什么（写出三个）？

3. 那个九十四岁的老人每天都做什么？

4. 他计划怎么庆祝自己的百岁生日？

图书在版编目（CIP）数据

汉语 A⁺. 上 / 陈琦编著. －北京：北京语言大学出版社，
2007.11 （2018.9重印）
　ISBN 978-7-5619-1977-4
　Ⅰ. 汉… Ⅱ. 陈… Ⅲ. 汉语－对外汉语教学－教材－
Ⅳ. H195.4
　中国版本图书馆 CIP 数据核字（2007）第 174793 号

书　　　名：汉语 A⁺. 上
策　　　划：苗　强
责任编辑：唐琪佳
装帧设计：北京颂雅风文化艺术中心　贾　英
责任印制：周　燚

出版发行：**北京语言大学出版社**
社　　　址：北京市海淀区学院路 15 号　邮政编码：100083
网　　　址：www.blcup.com
电　　　话：发行部　（86-10)82303650/3591/3651
　　　　　　编辑部　（86-10)82303647
　　　　　　读者服务部　（86-10)82303653
　　　　　　网上订购电话 82303908
　　　　　　客户服务信箱 service@blcup.com
印　　　刷：北京虎彩文化传播有限公司
经　　　销：全国新华书店

版　　　次：2008 年 1 月第 1 版　　2018 年 9 月第 8 次印刷
开　　　本：889 毫米×1194 毫米　1/16　印张：习题集 10.5 答案册 3
字　　　数：168 千字
书　　　号：ISBN 978-7-5619-1977-4/H·07199
　　　　　　04200